Fleur de Beauté
la Japonaise

Fleur de Beauté
la Japonaise

Charles Lorenzo

Les Productions de l'Aurore

Les Productions de l'Aurore
C.P. 70036
Laval-Ouest, Québec
H7R 5Z2

Couverture, composition et montage:
Pierrette Bujold-Laflèche,
Inf-O-Grafix

Distribution exclusive:
Édipresse Inc.
945, avenue Beaumont
Montréal, Québec   H3N 1W3
Tél.: (514) 273-6141

Dépôts légaux:
Quatrième trimestre de 1997
Bibliothèque nationale du Québec
Bibliothèque nationale du Canada

ISBN 2-922233-03-0

Table des matières

1

Rencontre

Je m'appelle Arthur Bédard. Je termine mon cégep. Je dois maintenant choisir une carrière. À maintes reprises, j'en ai discuté avec mon père. Il préférerait naturellement que j'embrasse sa profession, la médecine, plus particulièrement la psychiatrie, me spécialisant dans l'étude de la dépression bipolaire, appelée aussi cyclothymie: constitution psychique faisant alterner la période d'exaltation ou euphorie et celle de dépression ou d'abattement. Depuis mon enfance, j'entends parler de ce sujet. Toutefois, je n'ai jamais été attiré par la médecine, particulièrement la psychiatrie. Au contraire, même si je sympathise beaucoup avec les personnes qui en sont atteintes, ce domaine ne rejoint pas mes aptitudes.

Je me souviens du cours de littérature où l'on m'initia aux notions de la poésie classique: les rimes masculines et féminines, les temps forts et les temps faibles, le nombre de syllabes: l'alexandrin, l'octosyllabe, etc., le quatrain, les poèmes à forme fixe, spécialement le sonnet. Je sentis un choc au plus profond de moi-même. Il me suffisait de voir des vers, sans même les lire, pour éprouver une émotion que je compris par la suite. J'étais né poète. Je profitais d'une circonstance propice: anniversaires, Noël, Pâques, saisons pour aligner des phrases bien scandées qui se terminaient par le même son. À la fin de ma dernière année scolaire, je composai une stance sur chacun des trente-trois élèves de ma classe de français.

Je répondis résolument à mon père.

- Non, je deviendrai écrivain.

- Libre à toi, mon garçon, d'aller selon tes dispositions et ton talent. Je me réjouis de ton choix et connaissant ta sensibilité, ton imagination, ton aptitude pour la composition, tu te classes toujours parmi les premiers en dissertation, je t'encourage à suivre ton penchant et j'ai la certitude que tu réussiras à te faire un illustre nom. Si je peux me permettre un conseil, surveille ton orthographe car la grammaire te joue de vilains tours et tu tombes souvent dans le piège.

Sa remarque si judicieuse nous fit bien rire. Je fus soulagé, me voyant déjà auteur renommé. Enfin, j'allais suivre le penchant de mon coeur: exprimer en beauté mes sentiments intimes et mon admiration pour la nature!

- Arthur, pour te récompenser d'avoir obtenu ton diplôme, je te paye un

9

séjour de trois semaines au Japon. Dans la carrière que tu choisis, le voyage ne peut qu'alimenter ton inspiration.

- Pourquoi au Japon plutôt qu'en Grèce par exemple? Nous avons beaucoup étudié ce dernier pays; l'histoire se mêle aux scènes grandioses du site: les ruines d'Athènes, la splendeur unique de la mer Égée, le mont Olympe, résidence des dieux et des déesses, Corfou, l'île Hydra.

- Voici. Au cours de conférences mondiales, j'ai fait la connaissance d'un expert en dyslexie: trouble qui se traduit par une difficulté à lire et à comprendre sans de fréquents arrêts. Ces personnes sont portées, par exemple, à intervertir les lettres: li au lieu de il, etc. Monsieur Yukawa et moi sommes devenus amis. Nous correspondons de temps à autre.

- Pas en japonais, certes.

- Évidemment non. Il connaît très bien notre langue. Je lui écris dès ce soir et te recommande à sa bienveillance.

- Je ne doute pas de ses attentions d'après ce que tu me dis, mais que vais-je faire là-bas pour me débrouiller? Il ne pourra pas s'occuper de moi tout le temps.

- Il m'a parlé d'une de ses filles; elle doit avoir environ dix-sept ans; elle fait partie d'un choeur de chanteuses et de danseuses. C'est déjà toute une référence! De plus, il paraît qu'elle fait honneur à son prénom, Fleur de beauté. Dois-je ajouter d'autres détails?

- Inutile. Si je m'attendais à une telle offre!

Je me pressai sur lui pour lui témoigner combien sa compréhension faisait du bien, me donnait confiance.

- Mon fils, il arrive des moments où il faut sauter sur l'occasion, sans cela, on manque le bateau et le reste de sa vie peut en dépendre.

- Hé, là, papa, ne trouves-tu pas que tu joues à l'agent matrimonial?

- J'ai forcé la note à la fin de mon plaidoyer afin que tu réagisses avec bonne humeur.

Psychologue encore plus que psychiatre, il comprend d'instinct qu'un tel départ dans le choix d'une profession ne peut que me donner l'élan propice au succès.

J'arrive en pleine nuit au Japon. Juste avant d'atterrir à Tokyo, je crois assister à un feu d'artifice vu à l'envers. Les lueurs des néons parsèment l'obscurité de couleurs flamboyantes. Les clignotements des annonces bariolées, les lumières de la ville embrasent cette féerie. L'aérogare est encore animée, les véhicules se croisent vous frôlant de leurs charges.

Je me demande si c'est bien moi qui suis mêlé à cette masse grouillante. Je ne doute pas que monsieur Yukawa m'attende et pourtant je ressens de la crainte devant cet inconnu. Ces gens si différents de moi, l'exil, l'incertitude me causent une sensation de regret. Je n'aurais pas dû accepter, je suis trop

10

jeune pour entreprendre pareille aventure. Un moment de désespoir me saisit aux tripes. Si je pouvais faire marche arrière.

Quelqu'un me tape sur l'épaule. Je sursaute. Me retournant, j'aperçois le monsieur tel que décrit par mon père.

- J'ai cru que ce pouvait être toi, sachant que tu me cherchais.

- En effet, je me demandais comment m'y prendre pour vous trouver. Mon père m'avait remis votre photo, mais elle ne me fut pas d'une grande utilité en regardant ces figures qui, pour moi, se ressemblent toutes.

- Monsieur Bédard a dû te parler de ma fille.

- Justement, je croyais qu'elle vous accompagnerait.

- Fleur de beauté doit assister à une répétition avec la troupe de danseuses.

Par sa courtoisie et ses nombreuses révérences, monsieur Yukawa compense cette absence. De petite taille, chevelure noire, lisse, mêlée de mèches blanches, visage aux traits fins, le menton effilé en une barbiche pointue, sa présence est remarquable. Une verrue paraît proéminente, vu la petitesse du nez.

Homme d'âge mûr, à l'apparence noble, attachante. Les yeux bridés, mordorés répandent une bonté qui met à l'aise. Vous vous sentez déjà apprécié. Son parler au ton chantant a un accent qui plaît beaucoup.

Lorsqu'il me regarde, il penche légèrement la tête du côté gauche. On dirait que cette position lui permet de mieux m'examiner. D'ailleurs, je ne doute pas qu'il ait déjà perçu mes sentiments dès le début de notre rencontre. Il avoue me trouver sympathique, à l'exemple de mon père.

Son chauffeur s'occupe des bagages. Le lendemain, lors d'une visite des environs, la limousine se faufile dans cette galaxie en mouvement. La rue Sainte-Catherine, à Montréal, Québec, véritable engorgement, semble peu fréquentée comparée à cette poussée humaine incessante. Tokyo, la Babylone du tohu-bohu, constitue un véritable rucher où les véhicules se croisent et se frôlent. Les halètements des clochettes, qu'émettent les bicyclettes, vous avertissent que leurs conducteurs vous évitent avec une dextérité qui tient de l'équilibre. La circulation, ici, est une véritable étreinte. Arrivé à destination, la famille Yukawa me reçoit avec force courbettes et une affabilité raffinée. La mère, fort jolie, s'adresse à moi comme si je la comprenais. Les deux sœurs me regardent avec des yeux si étonnés que je dois leur paraître un habitant d'un autre monde. Je leur souris du mieux que je peux afin de répondre à l'épanouissement de leur figure.

Le benjamin se cache derrière sa mère, jetant parfois un regard furtif. Dès qu'il m'aperçoit, il se retire vivement ce qui fait fuser les rires. Finalement, empoigné par les bras maternels, il se retrouve assis sur les genoux de celle-ci qui le force vainement à se tourner vers moi car il enfouit sa figure dans les vêtements de sa mère.

11

Ne pouvant prononcer un seul mot, j'abaisse et relève la tête en signe de remerciement. Cet accueil me cause une sensation étrange, ne réalisant pas encore complètement qu'en si peu de temps, je puisse me trouver en milieu japonais. Le père me renseigne sur les membres de sa famille.

Ce qui me frappe, tranchant sur le décor de cette demeure qu'on croirait construite pour un film de Walt Disney, une photographie du président des États-Unis; elle est suspendue au mur de la pièce où l'on sert le thé. Remarquant ma surprise, monsieur Yukawa m'explique son admiration à l'égard de Ronald Reagan.

- Lors d'une conférence mondiale à New York, j'ai causé avec lui en particulier. À l'occasion de son séjour au Japon, un grand nombre de photos ont été vendues. L'Amérique du Nord, en général, particulièrement le Canada, m'a beaucoup plu. Montréal m'a charmé par le contraste du moderne et de l'ancien. On y parle français avec un accent local savoureux. La division presque symétrique de la ville facilite l'orientation. Son caractère cosmopolite intéresse les étrangers.

Il poursuivit.

- Et puis, j'ai fait la connaissance de ton père. Les témoignages reçus m'apprirent que non seulement il est fort versé dans la connaissance de la médecine, mais que sa sympathie, son entregent, l'affection qu'il porte à ses malades font le bonheur de tout son entourage. Les patientes, les patients qu'il a déjà soignés ne veulent que lui lorsqu'ils retournent à l'hôpital. J'en ai connu des psychiatres qui pratiquent sans témoigner la moindre marque de considération à leurs clients, leurs clientes! Ils ne les saluent pas, ne leur adressent aucun sourire. Et le pire, c'est qu'ils ne les visitent, alors qu'ils sont internes, qu'une demi-heure par semaine et encore! Ignorant les progrès de la guérison, ils les assomment avec des pilules. Que font-ils le reste du temps? Aussi prennent-ils des décisions en dépit du bon sens. Ils nuisent plus qu'ils n'aident. Ils ne semblent s'intéresser qu'à leur salaire très substantiel qu'ils volent plutôt qu'ils ne gagnent et cela au détriment de leurs victimes; après tout, ils s'enrichissent grâce à elles. Ton père se conduit à l'opposé de ces profiteurs.

Entendre ce panégyrique m'émeut au point qu'une larme roule sur ma joue. J'éprouve un moment de nostalgie à me trouver si loin de lui. Comme j'aurais aimé me jeter dans ses bras pour lui dire combien cette déclaration me touchait!

Je hume l'odeur du riz. Je m'assieds par terre pour la première fois. Même si on a pris la précaution d'ajouter un petit tapis pour amoindrir l'incommodité de cette position, vu la dureté du parquet, je suis mal à l'aise. Les bibelots en porcelaine sont proportionnés à l'exiguïté de la maison; ils me plongent en pleine ambiance orientale. Une carpette représentant une danseuse tenant le traditionnel éventail, est tissée sur fond rouge; je m'y intéresse vivement. Je crois y voir Fleur de beauté. Un paravent attire mon regard. Les quatre volets présentent un décor où coule une rivière parsemée d'îlots formant des plates-bandes d'arbres en fleurs allant du rose lumineux au vert fluorescent. Par-ci par-là, des admiratrices, des admirateurs sont assis. D'autres circulent au bord de la falaise. Vers le haut, en écume bouillonnante, l'eau éclabousse les rochers.

La pièce principale ne contient aucun meuble, sauf un téléviseur placé dans un coin et une table basse entourée de coussins carrés, posés sur les tatami, sortes de nattes appelées plus spécifiquement foulons. On me fait asseoir à la place d'honneur. Inutile de souligner que j'ai dû enlever mes souliers, et m'accroupir. Je réponds de force, le moins gauchement possible, aux révérences de mes hôtes.

L'appartement est construit en bois de cèdre, matériau habituel. L'espace plutôt restreint, varie selon les besoins. L'endroit où je suis servira de salle à coucher pour les parents, alors que les autres membres de la famille se retireront pour la nuit dans les chambrettes exiguës que sépareront des cloisons amovibles glissant sur des rails.

On m'apprend à me servir de baguettes. Placer le premier bâtonnet entre la base du pouce et sur le dessus de l'annulaire. (Plier les doigts légèrement) Tenir le second bâtonnet entre le dessus du pouce et le dessus de l'index et le majeur. Tout en tenant le premier bâtonnet et le pouce immobiles, bouger l'autre de haut en bas, au moyen du majeur et de l'index.

Après les libations, on sert un saké tiède, du poisson cru, divers mets dans de menus plats, un oeuf de caille, quelques champignons très petits, du thon cru, quelques morceaux de porc, des crevettes grillées, un peu de poulpe, une tranche de dorade. Le riz termine le tout qui constitue un repas très frugal pour un étranger. Quelques morceaux de navets, deux tranches de concombre, une légère quantité de gingembre, une mandarine, puis le traditionnel thé bouillant dans une tasse minuscule, et voilà!

On mesure les chambres d'après le nombre de tatami à même de recouvrir le plancher; chacune de ces sortes de nattes a un mètre de largeur et deux de longueur. Une petite chambre comprend trois tatami, une moyenne quatre et demi et une grande, six. Mes hôtes font chacun leur lit, le soir, et place le tout dans les placards, au lever.

Le repas terminé, mon hôte m'invite à l'accompagner dans une partie du jardin où nous pourrons causer en toute liberté. Dès que l'obscurité enveloppe la nature, le ciel des lanternes suspendues faites de papier de riz de plusieurs couleurs, me transporte dans un pays merveilleux.

Monsieur Yukawa me renseigne sur la manière dont j'occuperai mon temps. Lui, étant très affairé, sa fille, qui a une auto, dans ses moments de loisirs, me servira de guide touristique. Il m'a réservé une chambre d'hôtel pas très loin de sa résidence. Il me donne d'excellents conseils sur la façon de m'acclimater.

13

À l'hôtel, mon attention est surtout attirée par les hôtesses au costume ancestral. Voir de près la Japonaise vêtue d'un kimono, avec ses mouvements gracieux et sa démarche souple et légère, le cou fait pour adresser les plus élégants saluts, le sourire où la blancheur des dents contraste sur les lèvres écarlates et ses yeux oblongs, sont autant de manifestations de la beauté nippone qui réjouissent l'oeil.

La fille de monsieur Yukawa vient me rejoindre le lendemain, jour de congé.

- On m'a dit que vous vous exprimiez couramment en français, mais je ne m'attendais pas à une telle maîtrise de ma langue maternelle.

- Lorsque j'étais petite, mon père prenait plaisir à m'initier.

Il faut croire que j'ai de la facilité au moins pour l'oral. Quant à l'écrit, je ne m'y suis jamais essayée.

- Je me propose volontiers à titre de professeur bénévole.

- Puis-je douter que j'en profiterais?

- Comment cela ?

- Je serais tellement distraite par le maître que l'élève risquerait de doubler sa classe.

- Maligne, va!

Fleur de beauté me propose de quitter la ville pour nous diriger vers la verdure et les fleurs. Délaissant Tokyo, elle me conduit à la baie de Suruga. Le long du parcours, elle me renseigne au sujet des plaqueminiers, d'un vert qui paraît terne contrastant avec la végétation vivace. Ils sont cultivés pour leurs fruits appelés kakis, lesquels prennent la forme de petites tomates. Des arbrisseaux à feuilles ovales, larges, les camélias, éclatent en bouffées de clartés roses. Les cèdres géants étagent leurs branches, répandant une ombre d'un brun opaque.

Le paon de cette flore: le cerisier. J'en vois un qui déploie des ailes tellement vastes qu'il abrite la maison et le potager d'une ferme blottie dans les collines. Du tronc noir ébène, jaillit le nuage neigeux de son panache.

- Les Nippons, me dit la guide, lui consacrent une danse appelée Niyako o dori. Les festivités coïncident avec l'arrivée du printemps. Elles s'échelonnent du 1er au 10 mai. On organise un festival que les danseuses du quartier Gion de Kyoto, le visage poudré à outrance, la chevelure sombre surmontée d'une touffe de cerisier que fixe un ruban écarlate, dans des gestes gracieux autant que précis, magnifient par leur beauté et leurs chants, l'événement.

Les cours des fermes sont décorées de bordures laissant pendre à profusion les zinnias dont le rouge et l'or éblouissent parmi le cosmos des feuilles rivalisant de splendeur avec celles du cerisier.

Rendus près de l'océan Pacifique, nous faisons halte. En face de moi, de l'autre côté de ce firmament, mon coeur se berce de nostalgie, aimanté par les personnes que je chéris. De Vancouver, je me transporte à Montréal. Je me revois au milieu des miens, oubliant Fleur de beauté. Elle comprend d'instinct et me laisse quelques instants à mes évocations. Puis avec un tact féminin tout en délicatesse, elle me dit simplement:

- Est-ce qu'on continue notre périple au Japon?

Je lui adresse un regard rempli de gratitude.

Revenant en arrière, nous atteignons un large ruisseau. L'indigo et l'or des iris allument des feux follets au fond du miroir liquide.

Arrivés au restaurant, situé en plein air, des ampoules multicolores répandent un air de Noël dans l'atmosphère argentée de lune. Nous nous assoyons par terre, sur des coussins, pour manger le riz traditionnel. Cette coutume comporte un double inconvénient pour moi. Je suis très inconfortable, hanté de plus par la peur de perdre l'équilibre, appuyé sur mes longues jambes. Je dois m'y prendre à plusieurs fois pour saisir un peu de nourriture, ayant tendance à écarter l'extrémité des baguettes au lieu de les rapprocher.

Le Pays du Soleil levant commence à pénétrer dans ma peau. Je crois vivre un conte de fée. Tout ce que je vois et j'entends me comble d'une joie nouvelle. Ces coutumes que je trouve basées sur un raffinement en rapport avec des gens si près de la nature me font apprécier des personnes au goût délicat et douées d'une bienséance spontanée. Il m'arrive parfois de désirer être né ici tellement leur sympathie me fait du bien.

Pendant le trajet, j'examine à loisir Fleur de beauté. Jamais ce vocable n'a été plus significatif. Il paraît que les danseuses sont sélectionnées, en général, davantage pour leur aptitude à la chorégraphie et au chant que pour leur charme. Elle fait exception. Sa figure reflète l'attrait de l'adolescente et la grâce de la femme.

À certains moments, je sens que le message d'amour que je lui envoie est capté. Son regard bridé me lance des étincelles de complicité. Deux jeunes gens de sexes différents ne peuvent jouir de la compagnie de l'un et l'autre, en des circonstances semblables, sans donner naissance à une secrète attraction réciproque. Le fait d'appartenir à des races si opposées aiguise ce penchant si naturel de toute la force du mystère.

Quelques jours plus tard, Fleur de beauté m'envoie une invitation personnelle à un spectacle que la troupe donne à Tokyo. Mon coeur bat fébrilement. J'échafaude, à la suite de cette marque d'estime, une kyrielle de tête-à-tête amoureux. Je me trouve déjà dans ses bras. Je me suis tellement soûlé de sa présence que je suis devenu littéralement ivre de Fleur de beauté. Ce laps de temps qui s'écoule d'ici la soirée prévue n'en finit plus, d'autant que je ne peux pas la revoir.

Enfin la représentation commence. Le faste préside à la fête. De ma place, j'ai peine à distinguer celle que j'appelle déjà intérieurement ma bien-aimée sans connaître ses véritables sentiments à mon égard. Cela vaut mieux ainsi car la déception ruinerait tout mon bonheur. Sous ces masques de fard uniforme et ces kimonos aux teintes éblouissantes, elle garde l'anonymat, ne pouvant me faire signe, étant tenue à une discipline stricte. Un moindre faux pas peut lui créer de gros ennuis. Lors des applaudissements nourris, elle fixe la flèche de son regard sur le mien. Ce signe tangible d'amour me cause une intense satisfaction. La pièce donnée avec l'aisance des gestes lents qui caractérise l'art japonais poussé à sa perfection ne m'emballe pas plus qu'il ne faut. Impossible de la rencontrer ce soir-là. Lorsque je parviens à sa demeure, toutes les lumières sont éteintes. Le lendemain, elle me téléphone. La troupe prend un congé à cause de la fatigue occasionnée la veille. Je l'invite à souper à l'hôtel où je séjourne. Pour motiver son refus, Fleur de beauté allègue que nous nous connaissons depuis peu de temps. Par contre, elle serait très intéressée à un rendez-vous dans une maison de thé, près d'un lac, dans le jardin d'un temple de Kyoto. J'admire sa délicatesse et accepte sa proposition. Nous nous retrouvons dans un calme lunaire propice aux confidences.

- Quelle joie de te revoir, Fleur de beauté!
- Moi aussi je suis très contente. Vous ne m'en voudrez pas trop d'avoir préféré ce lieu.
- Au contraire, la raison évoquée augmente ma confiance en vous.

Je n'ose lui avouer que je suis tout de même contrarié ayant préféré l'intimité de l'hôtel.

- Il sied que je me soumette aux coutumes de mon pays; sans cela, ma famille verrait d'un mauvais oeil les libertés que je prendrais à fréquenter un étranger.

Les jours passent, fugitifs comme un rêve. Lorsque je ne rencontre pas Fleur de beauté, je me sens dépaysé. Par contre, au cours de nos randonnées ou de nos soirées passées ensemble et seuls, notre intimité nous rapproche tellement qu'il me semble impensable de quitter ma bien-aimée.

De longs moments silencieux permettent à nos coeurs de s'unir davantage. Elle me perçoit comme un être ne vivant que de fantasmes. Son univers intérieur permet à mon imagination de vagabonder d'étonnement en étonnement.

Lorsque nous revenons à la réalité, une même idée nous hante: celle de la séparation. Pourquoi nous être connus s'il faut ne plus nous revoir? La tristesse nous envahit et nous plonge dans une profonde nostalgie. Nous n'osons envisager une fin à ce qui n'est qu'un commencement. Nous préférons vivre d'illusions espérant qu'un événement fortuit viendra changer le cours de notre destinée.

Dans notre cas, nous ne pouvions croire que l'adieu renfermerait tant de cruauté! Nous n'en étions qu'au printemps de notre liaison. Ce serait, semble-t-il, contre nature que l'automne vienne déjà flétrir le bourgeon de notre bonheur réciproque. L'heure du départ semblait un mirage. Nous avions tant de moments suaves à savourer ensemble! Le temps pouvait suspendre son cours et nous épargner. D'ailleurs, la date fatidique approchait.

Plus nous retardions de voir l'irrémédiable, plus nous approfondissions notre malheur. Le pénible aveu me revenait.

- Vous savez que je retourne après-demain dans mon pays. Mon voyage de vingt et un jours est terminé, hélas!

- Allez-vous revenir?

- Je ne désire pas mieux.

- Quand?

- Qui saurait le dire? Le Canada me semble aux antipodes du Japon.

Plus que la distance, l'attirance qui émanait de ma compagne m'éloignait davantage du bonheur que j'éprouvais en ce moment. Je ne pouvais lui confier que pour mon coeur le choix était fait: rester ici.

Nos mains, les unes dans les autres me permettaient de supposer qu'au moins, je lui avais plu. À maintes reprises, je l'avais embrassée sur la joue; elle acceptait, se gardant bien de me rendre la pareille. J'attribuais son attitude à une espèce de retenue; comme j'aurais aimé en connaître le véritable motif! Je ne l'avais pas caressée, respectant ses convictions ou autres raisons qu'il était mieux sans doute d'ignorer. Lisait-elle en moi-même le désir véhément que j'éprouvais de la combler de marques d'affection? Un seul plaisir m'était resté: la regarder sans laisser voir quel bonheur m'envahissait. S'en doutait-elle? En tout cas, elle cachait bien son jeu. Je lui avais dit plusieurs fois combien elle était ravissante. Ce compliment ne paraissait pas l'émouvoir. Elle le savait d'ailleurs et on avait dû le lui servir souvent; c'était devenu un cliché.

- Arthur, je vais vous annoncer une nouvelle qui vous procurera un grand plaisir.

À ces paroles, je supposai qu'elle scrutait les replis les plus intimes de ma pensée. Je fus sur le point de lui mettre un doigt sur la bouche, lui demandant de ne pas me communiquer ce que je savais déjà: qu'elle ne pouvait se passer de moi.

- Vous m'intriguez.

- Je quitte la troupe de danseuses bientôt.

Je me mordis les lèvres pour ne pas lui faire part de ma déception. J'aurais aimé l'entendre dire: «Pour me marier avec vous.»

- Et pourquoi?

- Mon intuition me confie que vous allez revenir. Il vous faudra alors gagner votre riz. Je vais m'engager dans une agence de voyages. À votre retour, je compte bien vous trouver un pareil emploi. Dans cet archipel, certains touristes viennent des pays francophones et anglophones. Vous parlez aussi bien l'anglais que le français, à ce que vous m'avez révélé. J'ai entendu dire que nous avions l'intention de réserver des autobus pour avantager cette catégorie de touristes de plus en plus nombreux. Voilà une occasion en or de vous inscrire. Ainsi, nous nous reverrons. Je me charge des Nippons, Chinois, Vietnamiens. Je devrai étudier beaucoup; il en sera ainsi de vous.

- Le plan me sourit. Reste une objection majeure: couper les ponts, crac! du jour au lendemain, avec mes proches. Je suis venu ici en touriste, vous ne l'avez pas oublié.

- Vous irez les visiter de temps à autre.

- Merci!

- Vous ne trouvez pas que j'aurais besoin de plus amples informations. L'heure de nous dire adieu approche.
Volontairement je n'ai pas prononcé la formule au revoir. Elle ne sourcilla même pas.

- Vous êtes invité à souper chez moi, demain. Nous discuterons de tout cela.
Monsieur Yukawa m'a remis une lettre destinée à mon père. Je suppose qu'il lui parle de mon retour définitif au Japon.
Je quitte, quelque peu désappointé, songeant à l'attitude de Fleur de beauté. J'en conclus qu'elle ne dédaigne pas ma compagnie, me cherchant un travail permanent. Un point, c'est tout. Que pense-t-elle au juste de moi? Incertitude qui ne porte pas à revenir. S'il fallait que je me trompe! Énigmatique Fleur de beauté, ta grâce me martyrise!
Le père vient seul me conduire à l'aérogare. Sa fille doit absolument rejoindre la troupe qui part en tournée. Durant le trajet, j'ai l'impression de fuir mon destin. Fleur de beauté scinde mon âme. Je suis dans l'indécision. Pourquoi ne pas avoir profité de cette chance peut-être unique? En restant au Japon, j'aurais fini par comprendre le pourquoi de l'attitude réservée que me témoigne cette Japonaise. Est-ce dans leurs habitudes d'agir ainsi avec des gens qui appartiennent à une autre race? Elle m'estime en vérité, pour me proposer de travailler dans le même domaine qu'elle. Veut-elle se donner le temps de mieux me connaître? Si elle joue à l'indifférente, a-t-elle l'intention de me prouver qu'elle ne prétend pas user de ses avantages physiques autant que de sa situation de Nippone pour m'influencer? Ou bien, pensée plus troublante encore, fréquenterait-elle un ami, n'osant pas me mettre au courant afin de me laisser toute liberté de choisir?

2

Retour

L'idée que j'aurais un rival me trouble jusqu'à Mirabel. Même si c'était la vérité, je serais mal placé pour lui adresser des reproches. En pareil cas, le bon sens ne prime pas, seuls les droits de la nature humaine font valoir leur inclination. Ma seule excuse est de ne pas pouvoir vivre en présence d'une telle personne sans vouloir ne plus jamais m'en séparer. Si elle avait répondu à mes espoirs, je n'aurais pas eu la force de la quitter. N'a-t-elle fait que laisser un sillage troublant dans mon existence? Je voudrais me convaincre du contraire.

Près des êtres chers retrouvés, j'oublie durant quelques heures celle qui possède ma tendresse, mais dont je doute de la sienne. Personne n'est mis au courant de ma souffrance morale. Mon père me devine ce qui m'évite de tout lui confier. À la longue, on s'aperçoit que la mélancolie m'habite. On n'ose m'arracher des confidences, mais les indices deviennent tangibles, mon comportement me trahit. Rêveur, distrait, je ne m'intéresse plus à rien, écartant les invitations; la solitude me porte au désoeuvrement.

Un mois passe. Une lettre reçue du Japon transforme mes dispositions. Elle n'a aucun doute que mon arrivée prochaine arrangera ses plans. Une agence de voyages l'accepte. Son apprentissage débute, elle parcourt le pays pour s'exercer à son métier de guide. Qu'attend-t-elle de moi finalement? Sa lettre qui ne porte que sur son travail et le mien hypothétiquement, me donne un tel choc que je me crois dans la nécessité d'annuler l'entente déjà conclue et de retourner là-bas au plus tôt.

La missive vient d'être postée lorsqu'un événement majeur confirme ma décision. Le destin a parlé. Mon père, voulant relever un patient, tombe par terre et se fracture le crâne. Mis aux soins intensifs, il reste dans le coma. L'inévitable se produit. Sa mort, quatre jours après, me jette dans la consternation. Je vois là un signe du ciel. Je l'adorais. Il m'avait apporté, en même temps qu'une affection croissante, un sens aigu de la conscience professionnelle.

Le souvenir de celle qui me demande d'accepter l'emploi qu'elle m'a choisi, s'estompe. Fleur de beauté incarnait l'amour. Avant de faire sa connaissance, j'avais vécu des amitiés passagères, des amourettes, des flirts, mais je ne m'étais jamais senti hypnotisé par un attachement qui, sans être de la passion, dépassait l'enivrement.

Dans les dispositions où j'étais en quittant Fleur de beauté, je me persuadais que notre idylle se terminerait à ce moment-là. Paradoxalement, une impulsion me révélait que cette passade allait resurgir. J'éprouvais l'impression de commencer le roman de nos coeurs. J'avais Fleur de beauté dans le sang. En ce qui me concerne, à la suite de la Fontaine, (XII, 14) j'éprouvais que:

«Tout est mystère dans l'amour,
ses flèches, son carquois,
son flambeau, son enfance.»

La fin tragique de mon père, je la revois encore. Le médecin appelé en hâte met toute sa science en oeuvre pour essayer de trouver un souffle de vie dans celui qu'on voulait soustraire à la fatalité.

La veille de sa mort, poussé par ma tendresse, vu qu'il était dans le coma, je m'étais installé à son chevet et je n'avais qu'à le regarder pour que ses traits s'impriment en moi. Ce soir, il gisait dans l'immobilité du repos éternel. J'avais l'impression qu'il ne m'avait pas quitté; il s'établissait entre nous une osmose, comme de son vivant.

Son visage avait conservé dans la mort sa sérénité. Une commotion cérébrale l'avait fait passer de cette existence qu'il aimait tant, à cette éternité pour laquelle il était prêt, ayant une conduite irréprochable parce qu'il était profondément chrétien.

La parenté, les confrères qui avaient éprouvé pour lui tant d'admiration, venaient rendre hommage à cet homme modeste, malgré son aptitude exceptionnelle à ce qui touchait le domaine de la médecine. La sincérité des condoléances prouvait combien il était attachant, vu que son décès causait tant de regrets.

Le premier soir, alors que le salon mortuaire avait fermé ses portes, je me retirai dans ma chambre afin de mieux me rappeler la figure de celui qui, étendu dans son cercueil, semblait me dire: «La plus belle prière que tu puisses réciter pour le repos de mon âme, les plus belles fleurs que j'aimerais venant de toi, ce sont les souvenirs de mes sentiments affectueux qui t'aideront à vivre épanoui en exploitant tes talents au maximum pour ton bien et celui du prochain. Profite des joies d'un amour bénéfique.»

Durant les obsèques, j'étais distrait. Je voyais papa étudier afin de pouvoir mieux secourir les cyclothymiques, chacun de ses patients présentait un cas unique. Comme il adorait son métier malgré les misères à crever le coeur qu'il côtoyait quotidiennement! Essayer d'enrayer le mal devenait sa seule préoccupation et sa consolation lorsqu'il réussissait. Je veux être la prolongation de mon père par ma vie intègre.

La cérémonie terminée, tout reprit son cours normal, sauf que ce départ enveloppait les êtres qui m'entouraient, animés ou inanimés d'un sentiment d'exil. Je n'avais plus le goût pour la vie. Nous vivions l'hiver de sa disparition.

Pendant plusieurs jours, les souvenirs de l'intimité existant entre mon père et moi affluèrent comme une brise de bonheur. Je l'entendais me répéter: «Conduis-toi toujours avec droiture et Dieu ne t'abandonnera jamais.» Sa voix me disait: «Retourne au Japon, c'est la seule issue à ta douleur. Un grand amour ne se remplace que par un autre aussi vivace.»

À l'aurore de la saison estivale, tout bourgeonnait d'espérance et de gaieté. Grâce à mon romantisme, la nature extérieure me comblait d'enthousiasme. Mon père goûtait les poèmes que m'inspiraient les beautés naturelles. Il me confiait: «En tout temps, ta douleur ne guérira que si tu la confies aux êtres dont tu t'es fait des amis. Chaque arbre, chaque fleur, chaque plante représente Dieu. Loue en eux Sa bonté. Élève-toi par leur beauté, leur utilité jusqu'à Lui.» Pour prouver que je le comprenais, je suis allé déposer une gerbe sur sa tombe. En récompense, il me suggéra de retourner au Japon. «Fleur de beauté me remplacera dans ce que je ne peux plus te donner: une attention constante.»

Le souvenir de mon père, depuis sa disparition, habitait mon esprit. Je le voyais revenant à la maison. Ayant enlevé son complet, sa tenue étant toujours impeccable, il se mettait à l'aise. Avant le souper, il s'intéressait à ce que ma mère et moi avions fait dans la journée. Peu importe les cas parfois très pénibles des personnes qu'il avait soignées, il avait laissé à la porte de l'hôpital ses tracas, sa responsabilité, son stress.

Après le repas, au lieu de se permettre une détente bien méritée, il aimait causer avec moi, jeter un regard sur mes études en cours, m'aider au besoin. Le père se muait alors en ami à un point tel que si j'avais des problèmes en ce qui concernait mon développement intellectuel ou dans le domaine affectif, je trouvais en lui un confident doué d'un jugement pratique et juste.

Une nuit, dans un cauchemar je l'aperçus en auto chenille sur le glacier Jasper, à Vancouver, Canada. Le véhicule avançait toujours, s'approchant de la montagne. Tout à coup, une avalanche dans un tonnerre mugissant s'abattit sur lui. Mon cri d'horreur me réveilla. Je fis le lien entre cette vision et son effondrement sur le plancher où il trouva la mort.

J'avais adoré mon père. Je dialoguais avec lui, ses réponses m'aidaient surtout dans les périodes difficiles. Je n'avais pas accepté cette séparation. Je consultai un psychologue. Il m'avoua qu'à défaut de changer de milieu, il craignait une forte dépression. Une seule solution s'imposait.

- Retourne près de Fleur de beauté.

Cette idée naissante me parut un signe évident que je devais vivre là-bas. Était-ce une prémonition que celle-ci allait se révéler sous son vrai jour en ce qui concernait nos rapports réciproques? Une lueur d'espoir pointait à l'horizon m'invitant à quitter les ténèbres où je m'enlisais.

Le destin me faisait signe. Je dois suivre la voie que les derniers événements viennent de me tracer. Mais j'ai bien des affaires à régler et je ne puis quitter si tôt, laissant ma mère à son chagrin et disant adieu d'une façon si subite à toutes mes habitudes et mes occupations. Dans de pareilles circonstances, nous réalisons combien d'attaches profondes nous enracinent!

Enfin, je mets au courant mon amie du retour de celui qu'elle attend. Fleur de beauté me répond avec un enthousiasme qui me rend toutefois perplexe. Elle ne parle que d'elle. Sa passion se manifeste dans le récit qu'elle fait de ses premières expériences touristiques. Elle découvre son pays au même titre qu'une étrangère. Avec quelle verve elle me raconte l'admiration éprouvée à la vue des villes parcourues! Ses exclamations relèvent de la fraîcheur enfantine autant que de l'emballement de l'adolescente.

Cher Arthur,

Je me renseigne d'abord sur l'origine de mon pays, que je n'ai pas eu le temps d'étudier et pris la peine de connaître depuis l'âge de huit ans. J'ai fait traduire en français ainsi qu'en anglais ces notes qui te deviennent indispensables. Je commence ton initiation touristique.

Le Japon fut le premier créé. Il était si mirifique que seuls les dieux et les déesses pouvaient l'habiter. La Déesse du Soleil y envoya, comme premier roi, son petit-fils Ninigri et quantité de dieux.

Le Japon, Nippon ou Nihon, prononciation japonaise, est surnommé le Pays du Soleil levant ou Pays des Cerisiers. Il est dérivé d'une expression chinoise qui signifie «La source du soleil» car géographiquement le pays est situé à l'Orient par rapport à la Chine.

La légende fait vivre le premier empereur (mikado) au VIIe siècle avant Jésus-Christ. Au cours de la Deuxième Guerre mondiale, défaits par les États-Unis, les Japonais apprennent de leur empereur qu'il n'est pas d'origine divine et qu'eux-mêmes ne constituent pas la lignée des Célestes. On rapporte de nombreuses histoires fantastiques au sujet des aventures du héros Kani Yamato Iharé-Biko.

Je continuerai à te donner les renseignements opportuns en temps et lieu. Si tu savais comme notre travail promet d'être captivant! Rencontrer des groupes hétérogènes, causer avec des gens dont les us et coutumes sont si différents des nôtres, quel enrichissement!

Ma famille ne tarit pas d'éloges à ton endroit, elle t'a trouvé tellement sympathique et jovial! Tu sais que chez nous la gaieté, le plaisir prédominent. Nous avons admiré ton sourire, épanouissement qui nous caractérise. Mon père reconnaît en toi le digne fils de son ami. Te revoir lui rappellera celui qu'il a tant admiré, lequel t'a inculqué ses meilleurs principes. Quant à moi, j'ai hâte que tu réalises le rêve que je fais: partager mon travail emballant.

Ta fleur de lotus, emblème de ma patrie

Devant ce laconisme au sujet des sentiments que je lui inspire, l'idée me vient de changer d'attitude envers elle et de lui exposer franchement mon affection, recourant même à la poésie pour faire vibrer les cordes les plus sensibles de son coeur. Au point où j'en suis rendu, je n'ai plus rien à craindre, même le refus.

Ma tendre amie,

Ton projet m'intéresse au plus haut point non pas surtout parce qu'il va m'aider à gagner ma vie, mais à cause de l'avantage qu'il m'accorde de rencontrer souvent celle qui peut servir de modèle à la Nippone. Sois assurée que l'éloignement forcé attise mon espoir de revivre tous les moments inoubliables vécus près de toi. Je te dédie ce poème que tu m'as inspiré.

La Japonaise
La plus belle fleur du pays nippon,
Jardinet de l'univers,
Est encore la Japonaise
Dans son costume papillon.
Ses yeux en forme d'amande
En ont l'exquise douceur.
Ils sont faits des morceaux de son coeur,
Tant leur âme est attirante.
Lorsqu'elle se courbe jusqu'au sol
Pour accueillir une invitée,
Sa politesse raffinée
Donne à son corps, ployé en col,
La grâce d'un cygne bariolé.
En cette contrée qui baigne
Dans un soleil de couleurs,
Madame Butterfly règne
Au sein des autres splendeurs.

Ma tendre chérie, comment ne pas revenir en cet archipel où tu me tends les bras?
Ta feuille d'érable canadienne,
Arthur

3

Retrouvailles

Enfin, je puis enlacer celle que je n'ai cessé d'étreindre en pensée. Les premières minutes sont réservées à un silence gonflé d'émotions. Fleur de beauté me conduit au domicile que son père a loué pour moi. Il est situé à cinq kilomètres environ de leur logis. Elle m'explique comment ranger dans les placards les futons et les couvertures qui doivent servir soit à certaines heures du jour, soit la nuit.

- Parle-moi de ton expérience de guide.
- Fantastique!
- Dois-je garder espoir de trouver l'emploi convoité?
- Aucune crainte à ce sujet. Mais il faudra étudier avec ardeur afin de connaître le pays dans ses moindres détails ainsi que les habitudes de nos gens.
- Tu peux compter sur moi autant que je me fie à toi.

Les recherches faites par Fleur de beauté m'épargnent beaucoup de temps. De plus, nous avons l'occasion de nous rencontrer souvent. Une amitié toujours circonspecte me prouve qu'elle n'est pas prête aux confidences. Je compte bien l'avoir à l'usure, sinon je me ferai à l'idée qu'elle n'est pas l'unique charmeuse. Dans mon métier surtout, les occasions ne manquent pas de rencontrer des séductrices. Après tout, exercer cette profession me permettra de vivre en attendant que la vente de mes livres me rapporte suffisamment pour me livrer entièrement à la poésie. Je rêve probablement en couleur, mais c'est permis dans ce pays.

Nous échangeons beaucoup sur notre profession, il va de soi, mais surtout sur les coutumes orientales et occidentales, l'éducation reçue de la religion. Ce dernier sujet nous intéresse particulièrement car nous sommes très croyants. Loin de nous l'idée de nous influencer au point de vouloir convertir l'autre. Si cela doit venir, ce sera librement, après mûre réflexion et sous la mouvance de la divinité que nous adorons. À l'encontre de bien des unions, nous donnons la priorité à l'âme sur le corps.

Ce qui m'impressionne, c'est la quantité de temples. Leurs environs sont bordés de lacs et de jardins. La beauté se fait prière, et ouvre la porte à la contemplation. Kyoto est surnommée la ville aux mille temples. La pagode de Yasaka représente le style caractéristique. Un escalier nous hisse jusqu'au balcon du sommet. À ses pieds, prie la cité, véritable parquet de nattes ajourées et de maisons fragiles.

Parfois, on rencontre un moine dans la pose d'un fakir, mais portant une robe bariolée. Il reste des heures assis, recueilli afin de trouver la maîtrise de soi. Il appartient à l'école de Zen, assez semblable à celle du bouddhisme hindou. Cette religion d'origine chinoise, s'implanta vers le XIIe siècle au Japon.

Plus loin, un dévot assis, absorbé dans sa méditation tient devant lui le gohei, tige d'un bois sacré où sont fixés des carrés de papier, symbolisant les offrandes d'étoffe que faisaient les anciens aux forces de la nature ou aux esprits des morts. On considère cet objet comme un lieu de repos des esprits pendant la prière.

Toutes les religions sont admises au Japon. Le shintoïsme vient en tête suivi du bouddhisme. Les églises chrétiennes, catholiques et protestantes sont tolérées. Aucune n'est une confession d'État, sauf le shintoïsme.

Je me souviendrai toujours de mon premier voyage à titre de guide. Il m'enchanta, mais il m'attira des ennuis qui faillirent me brouiller définitivement avec Fleur de beauté. Voici l'horaire dans les villes, nous voyageons en autobus; d'une ville à l'autre par le train.

Je soumets à Fleur de beauté les propos farcis de mots d'esprit anecdotes, historiettes, devinettes que je vais servir à mon groupe de touristes pour les renseigner succinctement ou les égayer au long du trajet, envisageant aussi les embouteillages nombreux, les moments creux soit au cours du voyage, soit durant les heures libres, les repas, etc.

Ayant mis la touche finale, elle me félicite, me souhaitant bonne chance. Mon amie paraît aussi intéressée que moi au succès espéré car une ère de bonheur et de prospérité commence pour nous.

Bienvenue à tous et à toutes dans mon pays d'adoption. Nous commençons un périple où ceux et celles qui aiment les contrastes seront servis à merveille. L'antique côtoie l'ultramoderne, l'Orient donne la main à l'Occident. À Tokyo, comme vous l'avez remarqué, les kimonos se faufilent entre des dames vêtues à la dernière mode; les gratte-ciel lorgnent d'anciens sanctuaires, le tohu-bohu des grandes artères ne trouble pas les promeneurs des rues paisibles. La capitale du Japon émerveille non seulement par ses néons, ses enseignes gigantesques et bigarrées, mais autant par ses contradictions.

Je vois une dame qui roupille au milieu de ce tintamarre. Bravo! Quel merveilleux exemple de ce que j'avance! Pouvons-nous trouver mieux? Essayons pour voir si un cours de géographie troublera son rêve. Remarquez, je ne lui adresse aucun blâme et vous demande en grâce de ne pas la réveiller car elle est en plein dans son droit.

L'archipel nippon comprend 300 îlots, 1250, 4000, 5000? J'entends 1250. Échec, la réponse, 4000. Nous en aurons la vérification, bientôt j'espère, car la personne endormie est en train de les compter.

Trajet

Japon

1. Tokyo à Nikko
2. Nikko à Tokyo
3. Tokyo à Matsumoto
4. Matsumoto à Takayama
5. Takayama à Kanazawa
6. Kanazawa à Kyoto
7. Kyoto à Toba
8. Toba à Nagoya
9. Nagoya à Tokyo
10. Tokyo à Mont Fuji
11. Mont Fuji à Hakone

Mer du Japon

Kanazawa

Takayama

Matsumoto

Nikko

Nagoya

Mont Fuji

Kyoto

Tokyo

Toba

Hakone

Tous et toutes rient.

Chaque ville japonaise offre un service de cars d'une cité à l'autre. Les express allant de Tokyo - Nagoya - Hyota - Osaka partent tôt le matin afin d'arriver à destination au début de la soirée ou au contraire, ils quittent vers minuit et roulent à une vitesse relativement lente, pour parvenir à destination dès le matin. Ces cars présentent beaucoup de confort: sièges inclinables, toilettes, etc. Les cars du soir entre Kyoto et Tokyo, en passant par Nagoya - Osaka parcourent le trajet, sans arrêt en chemin. Ils quittent Kyoto à 22h00 et arrivent le matin suivant à 6h45. De Tokyo, le car part à 23h00 et parvient à Kyoto à 7h45.

Le mont Fuji est considéré comme le symbole sacré du Japon et se classe parmi les plus beaux du monde; peu importe le nombre de fois que vous l'admirez, vous ne vous en lassez jamais. Les visiteurs cependant doivent être prévenus que le Fuji-San devient terne au printemps, en été et au début de l'automne; il se couvre alors de brouillard qui l'obscurcit et même le voile complètement. Aux autres périodes de l'année, de plusieurs endroits, on a des vues superbes du mont surtout à partir des chemins qui l'encerclent de près.

S'il existe une ville que tout étranger doit visiter, c'est sans contredit Kyoto. Son nom signifie «la capitale» et Tokyo, qui l'a remplacée veut dire «la capitale de l'Est». Kyoto possède les temples, les palais, les villas et les jardins les plus magnifiques du Japon, ainsi que la culture la plus raffinée, le mode de vie le plus envié. Certains écrivains emballés ont décrit Kyoto comme l'une des plus belles villes de l'univers. Fausseté. Cette cité apparaît telle une métropole japonaise avec ses nombreuses laideurs urbaines. Toutefois, en plein coeur de la cité ainsi que dans ses environs, des oasis de tranquillité, de beauté dénotent qu'elle nous donne encore une idée du Japon, dans son meilleur. L'Empereur Kammi fonda Kyoto, en fit la capitale vers l'an 788.

La visite des temples doit se faire à l'automne où les feuilles atteignent leur plus merveilleuse splendeur. Ils sont encerclés de ravissants jardins. Kinta-ku-ji est connu dans Kyoto, même dans le Japon, parce que son pavillon est recouvert de feuilles d'or. Dans un large jardin d'eau miroite l'édifice. Les abords gracieux de cette pièce d'eau se couronnent de teintes multicolores à l'automne lorsque des érables flamboient d'un rose lumineux ou quand à une autre période de l'année, les cerisiers explosent.

Fushimi-Inari Taisha Shrine l'emporte, au point de vue dimension sur les 32,000 autres temples du Japon. On y honore les divinités de l'agriculture et du commerce, deux des activités les plus importantes du pays qui assurent sa popularité. Pour ce motif, on rencontre beaucoup de familles ou de commerçants de moyenne entreprise priant pour le succès de leurs affaires.

Le renard a été élu le messager de ces divinités, ce qui explique la grande quantité de statues sur le terrain qui lui sont dédiées. Ce sanctuaire doit aussi son renom au grand nombre de torii d'une couleur orangée, érigés au-dessus des sentiers serpentant au flanc de la montagne. À certains endroits, on en rencontre plus de mille, si rapprochés les uns des autres qu'ils forment une tonnelle. Ils ont pu être construits, grâce aux aumônes des adorateurs et adoratrices dont les prières ont été exaucées. À la saison automnale, ils semblent embrasés, tel un feu de cheminée. À l'intérieur de l'édifice principal, on voit, à l'occasion, quelques cérémonies religieuses telles les danses lentes et gracieuses des jeunes filles en l'honneur de Kagura.

Il ne faut pas manquer d'assister à la cérémonie du thé dans toute sa beauté, assis dans un appartement très simple, sur des tatami recouverts de foulons, face à une chute miniature arrosant de fraîcheur un jardin tout aussi miniature.

La maison de thé offre un endroit paisible et ravissant qui invite au repos. On y sert des rafraîchissements dans des restaurants attenants.

Les musées constituent une attraction appréciée à travers le Japon. L'un des plus réputés se nomme Arashiyama. Il est situé dans la partie nord du pont près de la station. Son véritable nom: Kyoto-Arashiyama Kakubustukan. L'attraction principale: ses buffles. Il expose les plus belles collections d'armures antiques: casques, épées et autres armes, hallebardes ainsi que des objets en laque artistement et finement ciselés. Ce qui distingue ce musée, toutefois: le déploiement d'armes de la Seconde Guerre mondiale comprenant le seul «Zero fighter» laissé au Japon, les autres furent détruits par les Américains, un petit sous-marin suicide, ainsi qu'un énorme canon qui a servi lors de la «sunken battleship Mutsu». Cette immense pièce d'acier longue de 19.3 mètres a environ deux mètres d'ouverture à la «breech end». Il lance un obus pesant plus de 1000 kilogrammes, à 40 mètres.

Les anciens châteaux se rencontrent un peu partout, au Japon. L'un deux, le Fushimi-Momoyama Castle, a été reconstruit en ciment, dernièrement. Ce magnifique château existe depuis plusieurs siècles. Il fut démoli et quelques-unes de ses parties furent dispersées un peu partout, à Nijo-jo et Nishi-Honga-ji, par exemple.

Au nord-est de Kyoto, la Shungaku-in Rikyu. Imperial Villa date de 1629. Son jardin le plus élevé est situé autour d'un étang et s'est acquis la réputation du plus superbe décor de l'endroit.

Au nord-ouest de Kyoto nous allons à Takao qui nous offre un panorama d'érables peints par l'automne, spectacle unique au Japon. Prendre un repas dans ce décor enchanteur rappelle l'ancienne civilisation dans son meilleur.

Cette excursion intéressante, spécialement durant les chaleurs de l'été, offre l'occasion de descendre les rapides de Hozu. Le point de départ se trouve à Kameoka. L'excursion dure environ deux heures; très excitante, elle ne comporte aucun danger. Elle se termine à Arashiyama. La meilleure période de l'année pour se livrer à cette randonnée est du 11 mars au 30 novembre.

Autres attractions de Kyoto qui vont vous aider à découvrir que le goût du peuple japonais ne diffère pas de celui des autres nations de l'univers: danses et théâtres, «coffee shops» endroits où l'on s'assoit et bavarde; les bars et les clubs ainsi que les fêtes saisonnières: celles des cerisiers en fleurs, des érables à l'automne, les marchés, les festivals, les arts et les métiers, les gravures, le tissage, spécialement de la soie, les produits manufacturés, la poterie, les restaurants, les excursions d'un jour ou plus, l'enseignement de la religion zen.

Kyoto est située près des sites les plus intéressants du Japon. Plusieurs d'entre eux peuvent être parcourus dans une journée ou d'autres en plusieurs jours: Nara - Kikone - Kimeji - Osaka - Ise - Yoshino.

Nara attire beaucoup de visiteurs. Cette cité fut la capitale impériale avant Kyoto et les temples de cette période survivent encore. Elle demeure par le fait même, très historique et plusieurs vestiges ont résisté au temps. À 42 kilomètres seulement de Kyoto, elle fut la première capitale permanente du Japon, de 710 à 784. Là fut introduit le bouddhisme, dans ce pays; les effets de celui-ci influencèrent la culture et les arts. Certains temples et coutumes de cette période subsistent encore. De Kyoto, le trajet se fait par train, en 50 minutes. À Yoshino, les cerisiers en fleurs, au printemps, sur les flancs de la colline sont renommés à travers le Japon. On compte environ 100,000 arbres plantés à différents niveaux. Ils fleurissent à des époques variées; la saison régulière se situe du début à la fin d'avril.

À Toba, on fabrique des perles parfaites. À ce sujet, la ville est considérée comme la plus importante du Japon. Si un grain de sable ou tout autre objet d'à peu près la même grosseur, s'introduit dans l'écaille et irrite l'huître, l'irritation se couvrira de couches de nacre d'où proviendra la perle. Mikimoto, pensa qu'en insérant une matière artificielle, il obtiendrait le même résultat; il y parvint. Ses premières tentatives ne donnèrent pas des perles rondes, par la suite, elles prirent cette forme. Il brûla plusieurs centaines de kilos de perles d'une qualité inférieure.

Actuellement, de jeunes femmes donnent des exhibitions pour montrer comment introduire un objet dans l'écaille, sortir une perle d'une huître mûre, classer les perles selon la couleur ou la dimension, les enfiler, perforer les écailles. Les teintes varient du rose et de l'or en passant par l'argent et le bleu.

D'où les huîtres viennent-elles? Elles croissent dans les arbres. Quand les femelles fraient, elles déposent des milliers de larves dans l'eau «to come to rest where they may». Les arbres ploient et atteignent l'eau; la chance aidant, les larves adhèrent aux branches. Après deux ou trois mois, elles sont haussées et atteignent une place plus favorable et parviennent à une maturité qui leur permet de produire l'irritation de la reproduction.

Les montagnes, les vallées, les rochers, les forêts, toute la nature sert d'habitation aux dieux et en certains lieux, tel Kongu, on les vénère depuis quinze ou vingt siècles.

On ne peut visiter Osaka sans voir tout ce qu'un jardin représente pour l'âme japonaise. L'emplacement des roches, l'eau qui coule des montagnes miniatures, les arbres, les bosquets unissent la nature et la religion.

Bunraku est reconnue mondialement, grâce à son théâtre de marionnettes. Celles-ci ne dépassent pas un mètre de hauteur. Elles ont des figures qui semblent réelles et elles portent de magnifiques costumes. On leur fabrique des «faces» plutôt que des masques afin de mieux représenter les bouches, les sourcils et les yeux qui se meuvent, leur donnant une expression de vie humaine. Chaque poupée est manipulée par une à trois personnes se tenant derrière elle afin d'agiter la tête, les bras et les jambes d'une façon si naturelle qu'on les croirait vivantes. Le maître des marionnettes apparaît en scène et porte le costume traditionnel, alors que ses assistants, assistantes sont vêtus de noir. On entend une musique et le narrateur accompagnés par les «shamisen». Les représentations sont données au Asahiza Theatre près de la station de métro Nikonbashi.

Au Nagoha Castle, de la fin septembre à la fin novembre, on présente une intéressante exhibition de poupées confectionnées de chrysanthèmes, lesquelles sont taillées de façon à ce que les fleurs prennent la forme de figures et de mains. Elles portent des costumes et représentent des scènes d'événements historiques. Elles évoluent au centre du château.

Nagasaki doit sa triste réputation au fait qu'elle ait servi de cible à la bombe en raison de son important chantier de construction navale, allant du port à la cité. Chaque événement de ce tragique jour de 1945 a été relaté. Les vestiges peuvent être visités le long d'un trajet relativement court. Un petit parc marque l'épicentre de l'explosion. Les autres restes sont dispersés, incluant les débris d'une tour à feu et un peu des murs de l'ancienne cathédrale. En haut de cette colline, derrière le parc, (on y accède par des escaliers) a été construit le musée de la bombe A, dénommé Nagasaki - Hokusaki - Bunka - Kaikan. On peut photographier des bouteilles fondues, des pierres brûlées et autres objets attestant la puissance de l'engin destructif. Par contre, dans la partie nord du parc, se situe un endroit tranquille où l'on aperçoit des étangs, des fontaines et une statue symbolisant la paix.

Megane-bashi bridge, appelé «Spectacles Bridge» a deux arcs superposés; lorsque le niveau de l'eau atteint une hauteur suffisante, la réflection forme deux ovales qui ressemblent à des lunettes. Il a été construit en 1634.

Tokyo, l'une des villes les plus peuplées du monde, comprend plus de 11 millions d'âmes. Sa superficie se chiffre à 2031 kilomètres carrés. Là se trouve le centre du gouvernement et du commerce au Japon. Tokyo ne constitue pas un lieu historique ou touristique, mais il attire les visiteurs par ses boutiques et ses supermarchés. La ville demeure la capitale impériale. La figure de l'empereur y est représentée. Le grand tremblement de terre de 1923 et les bombardements diminuent l'intérêt, mais son attraction est compensée du fait qu'elle est devenue une cité moderne combinant les avantages des pays de l'Est et de l'Ouest. Évidemment, Tokyo comprend de nombreux musées.

Les temples de Tokyo sont considérés, à vrai dire, comme les plus magnifiques du Japon. À Osakusa Kannon, le temple et ses pagodes à cinq étages regorgent d'activités. Ses adoratrices, ses adorateurs demandent toutes sortes de guérisons, ils allument des bâtonnets d'encens, frottant avec la fumée les endroits malades de leur corps pour être délivrés de la douleur, de la peine ou obtenir l'épanouissement.

Kabuki offre un théâtre à teinte très japonaise avec ses costumes très typiques et spectaculaires, ses acteurs très stylés et des effets de scène fantastiques. L'intrigue paraît assez sobre ou incompréhensible, mais mérite d'être vue pour ses performances.

À Daibutsu, les énormes figures en bronze, de Buddha (Amitabba) le représentent assis, en plein air, regardant de ses yeux à demi fermés le lever et le coucher de Kamouraka comme un siège de puissance. La figure assise mesure plus de 11 mètres de hauteur, sans le piédestal et pèse environ 100 tonnes. La position des mains symbolise le bouddhisme dans sa foi stable. L'expression de la figure exhale une grande sérénité et demeure un chef-d'oeuvre artistique bien supérieur à celui de Nara.

Je fais la connaissance d'une touriste montréalaise. La journée terminée, je l'invite à une maison de thé, située au bord d'un petit lac artificiel qu'une brise, gorgée de toutes les essences florales, enveloppe de sa caresse. Nous avons tant de choses à nous dire en tant que concitoyens.

Une ombre surgit de l'autre côté de la pièce d'eau. La personne m'envoie la main. Ce ne peut être que Fleur de beauté. De fait, elle nous rejoint. Les présentations faites, la conversation s'engage. À un moment donné, Jeanne félicite la Japonaise de s'exprimer en un si bon français. Ayant bavardé une bonne heure, nous reconduisons l'étrangère chez elle et nous dirigeons chacun vers notre logis, après nous avoir relaté les principales péripéties de la journée.

Fleur de beauté ne fait aucune allusion à mon tête-à-tête avec Jeanne. Dans notre profession, rien de surprenant à ce que nous causions avec les touristes. Au contraire, l'agence nous le recommande dans le but d'accroître sa clientèle.

On a beau se plaire dans le pays le plus beau au monde, chérir celle que notre coeur appelle la plus jolie Japonaise de l'archipel, la nostalgie de la terre natale accomplit son oeuvre insidieusement. Il suffit d'une étincelle pour qu'elle embrase l'être.

Jeanne profite de ses moments libres, des deux jours où elle demeure à Tokyo, pour me rencontrer. Mis au courant des nouvelles récentes, j'éprouve une sensation de bien-être en me transportant à Montréal, par l'imagination. Avant de continuer mon trajet, quittant Tokyo pour entreprendre ma cinquième journée, Fleur de beauté vient me dire au revoir. Une inquiétude profonde ennuage son regard d'un rouge brun. L'image de Jeanne hante son coeur, lui prédisant qu'elle pourrait être supplantée. Mon sourire essaie de chasser cette idée malsaine.

Je saisis dans la froideur du regard de Fleur de beauté qu'elle veut me prévenir. J'étais loin de m'attendre à une telle stupéfaction de sa part. Je ne pouvais me faire à l'idée qu'elle deviendrait jalouse, aussi je n'attache pas plus d'importance qu'il ne faut à sa réaction. Jeanne s'est réservé le premier siège, prenant place à mes côtés. Je sens dès d'abord une intention préméditée d'arriver à ses fins. Lorsque nous descendons pour visiter les lieux d'attractions, elle semble distraite, laisse passer tout le groupe et réussit à se tenir près de moi durant les explications.

Quelle femme, ici présente, n'a pas réalisé son rêve de posséder des colliers et des bracelets sertis de perles? Plusieurs, j'en admire de ma place, ont réussi à se procurer ces bijoux et des plus magnifiques! Nous allons assister dans quelques heures à la culture des perles, aussi surprenant que cela puisse paraître. Attention à votre bourse, car vous en verrez du plus bel orient, c'est le cas de le dire.

Un Japonais Kellichi Mikimato a eu l'idée d'introduire dans l'huître un corpuscule arrondi telle une perle naturelle petite, une boule de nacre de verre ou de porcelaine. Par dépôts successifs de couches de nacre, la perle grossit et elle acquiert en 7 ans un beau reflet irisé. La culture de ces perles se pratique particulièrement au Japon dans la baie de Nagasaki.

«Mais en Extrême-Orient, on obtient des perles en blessant le mollusque qui les produit. Pour cela, on perce l'une des valves pour y introduire un morceau de fil de fer puis on remet le coquillage en place. L'animal blessé par la pointe du fil, dépose autour de ce corps étranger une couche de substance nacrée qui durcit peu à peu et se fortifie par d'autres dépôts. Alors le mollusque est repêché de nouveau»* On peut insérer un morceau d'écaille.

Nous en sommes à notre quatrième jour, le tiers de notre randonnée.

---

*Aristide Quillet.

Vous êtes charmantes, charmants et moi aussi d'ailleurs. Toute ma gratitude à vous qui avez applaudi. Même ceux et celles qui n'ont pas dit oui, le pensent, c'est visible. Un merci spécial à ceux-là. Si aujourd'hui vous entendez un bruit sourd et inquiétant, ne vous en faites pas. La terre se secoue un peu, deux ou trois fois par mois. Surtout, ne sortez pas du véhicule, vous pourriez être catapultés à Kanazama et l'horaire prévoit l'arrivée dans cette ville pour demain. En attendant qu'on démarre, je vais vous raconter une anecdote des plus authentiques arrivée à des gens comme vous, je veux dire des touristes en autocar; une légère différence toutefois, le récit se passe en Afrique, j'y étais... hum!

On roule à une allure satisfaisante vu l'état des routes, jusqu'au moment où le chauffeur applique les freins brusquement. Un majestueux lion, à la magnifique crinière, fier d'allure, excellemment musclé est assis sur la chaussée face à nous. L'autobus recule lentement; sa majesté ouvre une gueule à l'empiffrer, se lève, avance gravement. Le véhicule s'arrête. Le lion s'éloigne à reculons. Soulagement dans tous les coeurs, mais pas pour longtemps. On avance, il s'assoit.

Un passager retrouve la foi de son enfance, il fait le signe de la croix. Tous l'imitent. Le félin porte sa patte droite au front, au poitrail, à l'épaule gauche, à l'épaule droite.

- Que veut dire ce signe? demande une personne d'un âge certain qui claque des dents, tellement elle a peur?

Le chauffeur répond placidement:

- Ne vous en faites pas, il récite son bénédicité.
- Qui aurait une histoire moins apeurante à nous raconter?
- Moi
- Allez-y ma jolie mademoiselle.
- À Londres, deux touristes de Montréal, vous venez bien de cette ville n'est-ce pas, monsieur le guide?
- En effet, et je m'en glorifie.
- Pas pour longtemps!
- Nos deux individus entrent pour la première fois dans un bus à deux étages. Il voient des usagers qui vont prendre place en haut. Intrigué, l'un dit à son camarade: «Va donc voir ce qu'ils font!» L'autre revient, pouffant de rire; «Les caves, ils n'iront pas loin, il n'y a pas de chauffeur en haut».

Êtes-vous encore fier d'être Montréalais?

Après la tournée, je suis attablé en compagnie d'un groupe de mes passagers qui retournent dans leur pays le lendemain.

Une jeune fille très séduisante, au corps parfait, moulé dans un costume qui l'étreint, se présente à notre table.

34

- Vous permettez!

- Je vous en prie!

- J'arrive de Tokyo. Je commence demain la visite de la ville. L'un des assistants dit: «Je vous présente le guide.»

- Enchantée, je ne croyais pas rencontrer un homme si jeune et pas mal tourné du tout.

- Je peux au moins en dire autant de vous, mademoiselle.

- Aimée Leblond. Vous pouvez m'appeler la blonde.

- Nom très symbolique en vérité. Arthur Bédard.

L'un des membres réplique:

- Je changerais mon métier pour le tien, Arthur, au moins pour la prochaine visite touristique.

L'inconnue de rétorquer.

- Qui vous dit que j'accepterais de faire partie de votre groupe?

- Alors, je prolonge mon congé de deux semaines.

La situation devient gênante pour le moins. Mon premier réflexe est de l'ignorer. Elle déjoue ce stratagème, posant des questions opportunes autant qu'intelligentes. Plus j'essaie de la fuir, m'attablant avec d'autres, plus je la sens victorieuse; lui jetant un regard à la dérobée, elle ne me quitte pas des yeux.

Je l'emporte sur un point. La journée terminée, au lieu de m'en aller directement à ma chambre, je flâne et invite quelques-uns de mes touristes à des restaurants qui échappent à sa surveillance. Toutefois, je ne peux user de ce subterfuge sans me nuire, car nous nous levons tôt et le manque de sommeil affecte profondément la verve d'un guide.

Jeanne, de son côté, ne se tient pas pour battue; au contraire, elle devient plus appliquée à me poursuivre de ses assiduités. Lors d'une journée libre, je décide d'aller me détendre. Je commence l'ascension du Fuji-Yama, mais on n'escalade pas cette montagne divine même à mi-hauteur, en une journée. Il mesure 3778 mètres, imaginez la surprise, en me retournant, de voir la Montréalaise me suivre. Elle a certes espionné mes allées et venues. Cet acharnement de sa part m'entraîne irrésistiblement à exécuter mon projet en sa compagnie.

Les premiers instants s'écoulent en silence. Nous nous tenons par la main. Plus on monte, plus sa respiration haletante me caresse la joue. Jeanne s'appuie sur mon épaule car nous atteignons le point fixé; elle est exténuée. Nous nous assoyons sur ce trône neigeux. Nous sommes seuls ce qui augmente aux délices du site. La buée qui s'exhale du halètement de nos poitrines ne forme qu'une traînée de vapeur. Nous devenons durant quelques heures le roi et la reine de cette splendeur qui s'étale à nos yeux: en bas miroite l'émeraude des plaines.

- Arthur, tu m'attires beaucoup.

- Jeanne, tu me plais à titre de concitoyenne, mais j'ai voué mon attachement à Fleur de beauté.

- Je comprends, mais je demande une semaine à peine de bonheur. Je te laisserai ensuite le savourer avec elle.

- Comment puis-je profiter de son absence pour la tromper?

- Puis-je te poser une question?

- Si elle n'est pas trop indiscrète, oui.

- Est ce qu'elle t'aime?

- Je crois que oui, mais à sa façon.

- En tant que femme, je suis persuadée qu'un manque d'assurance à ce sujet équivaut à un non ou presque.

- Qui es-tu pour t'immiscer dans mes relations?

- Une étrangère qui veut t'ouvrir les yeux avant qu'il ne soit trop tard.

- Ou plutôt une intrigante qui ne se mêle pas de ce qui la regarde ou qui parle sans connaissance de cause, ignorant tout de la conduite d'une Japonaise en pareille circonstance.

- Je pourrais te donner raison en ce qui concerne la première remarque.

- Au sujet de la seconde aussi.

- Tu n'as vu Fleur de beauté qu'une fois et tu te permets de médire d'elle. Je trouve ta conduite odieuse. Prétends-tu devenir sa rivale?

- Je comprends ta révolte, n'en parlons plus.

- Au contraire, tu vas me répondre immédiatement.

- Je préférerais mieux pas car tu es trop gentil pour que je me permette de te peiner.

- Laisse faire les compliments et explique-toi.

- Tu ne m'en voudras pas?

- Je verrai à quoi m'en tenir après tes suppositions erronées.

- Si mes déductions s'avèrent fausses au départ, je trouve inconséquent de t'en faire part.

- Vas-tu t'exécuter, oui ou non?

- Tout doux! J'obéis, je ne demande pas mieux que d'avoir mal jugé ton amie.

- Assez de bavardage. Finissons-en. Qu'est ce que tu veux insinuer?

- J'avoue qu'elle s'est montrée très courtoise à mon égard.

- Il ne s'agit pas de toi, mais de Fleur de beauté ainsi que de moi.

- Est-ce qu'elle a fait allusion à notre rencontre après mon départ?

- Aucunement. Ça te surprend? Tu n'as plus rien à ajouter, je le savais.

- Arthur, mon pressentiment ne me trompait pas, tu m'en donnes la preuve.

- Tu aurais préféré qu'elle m'engueule?

- Sans doute, au moins tu aurais su si elle approuve ou blâme notre face à face.

- Tiens, je n'avais pas songé à cette façon de considérer l'incident.

- Je vais me montrer honnête. Ton emportement, dès que j'ai abordé la question, m'a confirmée dans mon soupçon.

- Mais enfin, qui es-tu?

- Je prépare une maîtrise en psychologie.

- Excuse-moi.

- Ne t'abaisse surtout pas. Qui ne s'illusionne pas un jour ou l'autre?

- Franchise pour franchise, l'adoration que je lui porte n'est pas réciproque.

- Ne sautons pas trop vite aux conclusions. Chacun se comporte selon sa personnalité.

- Elle se laisse aimer, mais pas plus. Ce qui surtout m'échappe, c'est le pourquoi de son insistance à ce que je revienne au Japon dans le but de me trouver un travail de guide.

- Tu lui plais beaucoup.

- Cette considération ne peut me suffire.

- À ta place, je réagirais exactement ainsi.

- Comment t'expliques-tu cette satisfaction personnelle? Cela frise l'égoïsme.

- Mystère de femme, cet être impénétrable mais décidé lorsqu'il s'agit d'arriver à ses fins.

- Merci! Quittons-nous je te ferai part de ce qu'elle mijote.

- Je n'ai pas du tout l'intention de la supplanter. Je te parle seulement en confidente. Tu n'es pas obligé de me croire.

- Jeanne, loin de moi l'idée de te faire souffrir.

Des larmes, gelées à mesure, diamantent sa peau. Poussé par l'impression que pour la dernière fois je lui témoigne mon amour, je la presse très fort comme on le fait avant l'adieu.

Arrivés vers le bas, nous croisons un groupe qui s'apprête à monter. Par quel hasard faut-il que Fleur de beauté soit à la tête? Quittant Jeanne, je m'approche avec précipitation. Elle baisse les yeux et continue son chemin. Jeanne et moi faisons de même.

- Excuse-moi, Arthur, je suis allée trop loin. Je m'expliquerai avec ton amante, lui jurant que tout le blâme me revient.

Je n'ose même pas la reprendre car j'ai ma part de responsabilité. Aussi entière en amour qu'en honnêteté, Jeanne met sa résolution en pratique. Deux jours après, Fleur de beauté vient chez moi m'inviter à une danse comme si aucun choc n'avait fêlé le cristal de notre amitié.

À partir de ce jour, Jeanne choisit d'aller s'asseoir dans le fond du car, s'intéressant à la conversation de sa voisine ou regardant le paysage. Ses yeux ne recherchent plus les miens; elle m'évite comme un danger. À mon tour de lui témoigner beaucoup d'estime, non sans ressentir au coeur un pincement.

Sans doute, l'attrait réciproque joue pour beaucoup dans une question sentimentale, mais jamais l'idée de rompre avec Fleur de beauté ne m'a effleuré. Quant à m'amouracher de Jeanne, je ne l'envisageais pas du tout. Plus je deviens intime avec la Japonaise, moins les autres femmes m'intéressent. D'ailleurs, j'ai été honnête envers moi-même avouant à ma compatriote qu'il n'était pas question d'entretenir des relations suivies. Au contraire, il fallait couper court à toute rencontre qui m'éloignerait de mon amante. Je dois le souligner à la louange de Jeanne, elle comprit ma position délicate et fit tous les efforts voulus pour ne pas me nuire au point que je ne croyais pas devenir la cible de retombées à ce sujet. Hélas! en amour, tout demeure imprévisible!

Le Japon, pays de beauté, rassasie le regard; temple du mysticisme, il procure à l'âme une béatitude extatique. Autant l'étude de ses religions et la visite des lieux saints m'aident à renseigner les touristes, dans la même proportion j'en retire un profit spirituel. Durant mes loisirs, je lis sur ce sujet ou parcours les sanctuaires, oasis de paix, de contemplation dans la vie trépidante de cet archipel au mouvement perpétuel.

Je dois faire un voyage de trois semaines. Au retour de cette première absence si prolongée, je perds tout le terrain gagné pour reconquérir le coeur de la Japonaise. Mon assiduité l'incommode.

Je comprends que mon déséquilibre affectif ne se rétablira que par une décision non seulement énergique, mais catégorique. Pendant des jours, je pèse et soupèse le pour et le contre. Cette situation de dilemme me cause un martyre croissant. Je ne peux littéralement plus vivre dans cet enfer. Je me décide enfin à prendre les grands moyens: Le temps est un sage, attendons la réponse. Je suis rendu au-delà de mes limites. La seule issue pour moi se trouve en cet exil du coeur. Impossible de lui exprimer verbalement mes dispositions. Fleur de beauté reçoit mon billet qui se résume en cette phrase: «On ne se conduit pas soi-même à l'holocauste sans en mourir d'avance». En dépit de cette décision désespérée, la situation ne lui paraît pas dramatique. Comment oser lui avouer mon pressentiment du contraire? Une voix me dit que c'est irrévocablement fini entre nous. Il vaut mieux la laisser à ses illusions.

Au début, après cet effort suprême de volonté, je me sens aussi fier de moi qu'un général qui vient de vaincre un ennemi beaucoup plus puissant. Les premiers jours sont partagés entre la satisfaction d'un acte héroïque et une présence qui m'était plus chère que ma propre vie. Il me faut lutter de toute la force de mon espérance et supplier le ciel de me soutenir. Hélas! l'amour devient dans mon cas une maladie chronique. En dépit d'une maîtrise incessante, la soupape de mon bon vouloir éclate et je propose à Fleur de beauté d'avoir un entretien. Devant ce qui semble non seulement de l'inconstance de ma part, mais qui frise la lâcheté, mon amie se rebiffe et finit par accepter une rencontre en dehors de chez elle. Cette condition m'indispose, mais je n'ai pas le choix. Après une longue attente, désespéré, mais résolu coûte que coûte à lui dire ce que j'ai sur le coeur. Il faut qu'on se retrouve. L'idée me vient qu'elle peut avoir été victime d'un accident ou qu'elle aurait oublié notre rendez-vous, ce dernier motif m'étonnerait fort. Je mets donc mon plan à exécution, je me rends chez elle. Mon coeur est scindé; ou bien la consolation de la revoir, ou la preuve de son infidélité. Ma surprise ne connaît pas de bornes. Qui vois-je? Un homme que je rencontre pour la première fois, mais dont elle m'a parlé, cependant. Fleur de beauté a cela de bon, elle se confie habituellement.

Une demi-heure après, Fleur de beauté arrive. Elle salue son hôte, l'appelant par son prénom, mais je vois que son air est contrarié. C'est alors qu'elle m'aperçoit. Sa surprise contracte davantage ses traits. Je ne suis pas le bienvenu; je m'y attendais. Toutefois, la torture que son attitude me fait endurer n'est rien, si atroce qu'elle paraisse, en comparaison du tourment que j'aurais éprouvé à ne pas la voir, et surtout à ne pas lui remettre le billet sur lequel j'avais écrit mes sentiments, de façon à ce qu'elle puisse comprendre mon intrusion. Elle m'offre à boire. J'accepte par politesse car je n'ai pas soif. J'en profite pour lui donner l'enveloppe. En prenant ses bouchées, elle parcourt le contenu. Son ami a la délicatesse de se retirer à l'écart.

À chaque paragraphe, par quelques mots, elle désapprouve ce que je lui communique. Je constate que son attitude l'indispose contre moi. Devant une telle mauvaise foi, je m'écrie:

- Sais-tu ce qu'on ressent à attendre près de trois heures une personne? Tu vas au moins me dire pourquoi tu n'es pas venue.

- J'avais une autre course à faire et m'étant levée tard, j'ai cru bon de commencer par celle-là.

- Et après?

- Il n'était plus temps d'aller au rendez-vous. Je me suis dit: «Découragé, il a dû retourner chez lui».

- Ainsi, volontairement, tu m'as trompé, avoue-le.

- Oui.

- S'il en est ainsi, adieu.

Je me dirige vers la porte.

Elle me suit.

- Non, je ne l'ai pas fait volontairement.

Elle voit dans chaque pli de mon visage le durcissement de quelqu'un qui a perdu confiance en celle qu'il a tant chérie.

- Alors que décides-tu?

- Je te téléphonerai.

Deux jours passent. Je suis dans tous mes états. Je dors peu, j'ai mal à la tête

Tout me dégoûte. Mon travail en souffre. Ma fierté me dit: «C'est terminé pour de bon. Ne t'avilis pas en faisant les premiers pas.» Ma sensibilité, au paroxysme de la douleur, me conseille: «Pense à toi, si tu continues à souffrir de la sorte, tu vas te démolir. Par amour pour toi, au moins, saisis l'appareil et demande à Fleur de beauté la cause de son mutisme.» Je crus plus sage d'agir ainsi.

- J'ai préféré t'écrire au lieu de t'appeler. As-tu reçu ma lettre?
- Pas encore. Pour ma part, j'ai tout oublié, j'ai tourné la page. Elle est blanche. Je veux qu'elle reste ainsi.
- Je te remercie.

En accrochant le récepteur, j'ai la certitude que je viens de donner le coup de guillotine à notre amitié. La missive en question ne m'est remise que le surlendemain. Trois idées principales ressortent de cette lettre en des termes très sympathiques. D'abord, Fleur de beauté essaye de me faire comprendre que depuis plus d'un an j'exagère dans mon attachement. C'est le motif qui l'a décidée à ne pas aller à ma rencontre. En second lieu, elle ne s'excuse pas, n'ayant rien à se reprocher. Finalement, il existe une incompréhension de plus en plus profonde entre nous. Vu que nous sommes tous deux francs l'un avec l'autre et bien disposés à continuer nos relations amicales, il nous faut couper les racines d'une relation trop possessive, alors la Divinité, prenant en main notre cause, nous comblera à sa façon qui n'est pas la nôtre habituellement. Elle signe:

«Indéfectiblement, Fleur de beauté.»

Nous nous réconcilions. Les deux semaines de vacances prises par Fleur de beauté coïncident avec mes quinze jours de congé. Nous séjournons dans une maison d'été que nous avons louée. Nous vivons des merveilles saturées de quiétude et d'enchantement.

Surtout, nous vidons à fond la question de notre soupçon réciproque.

- Fleur de beauté, je te chéris.
- Je le sais depuis le soir où je suis allée te chercher à ton hôtel pour une balade en voiture.
- Mais pourquoi avoir pris envers moi une attitude si défensive?
- Pour t'étudier avant de t'avouer mon amour.
- J'endurais le martyre.
- Je m'en apercevais, toutefois, c'était le seul moyen de me conduire avec dignité.
- Parce que j'étais un étranger?
- Cet aspect a joué beaucoup, mais le motif principal, je n'aurais jamais consenti à ce que tu t'éprennes de moi seulement à cause de mon physique. Je te respectais trop pour cela.
- À ce point de vue, tu as vu juste. Que penses-tu de ma rencontre avec Montréalaise?

- Je me suis reprochée de m'être laissée aller à mon impulsion. Tu m'as fait tellement souffrir que je ne suis pas revenue sur la question.

- Je ne comprenais pas ta façon de te conduire à mon égard, voilà pourquoi je t'ai mal jugée. Avoue cependant que tu ne me parlais que de mon emploi de guide et jamais de ton affection.

- Je me serais montrée très hypocrite si j'avais usé de ce moyen afin que tu te rapproches de moi et te délaisser par la suite.

- Tu penses! J'ai envisagé cette inconséquence!

- Maintenant, faisons la paix et chassons ces noires pensées.

Ce fut notre première étreinte, nous l'avions tant méritée! Être passés par une si cruelle épreuve nous valut de nous faire tellement confiance, nous promettant qu'à l'avenir nous ne laisserions plus le moindre différend s'interposer entre nous sans le régler sur-le-champ.

4

L'accident

Fleur de beauté ainsi que moi vivons en pleine félicité! Notre amour est sorti plus revigoré après la tentation d'une intruse qui voulait en éteindre la flamme.

Mon groupe visite Hakone située près d'un ancien volcan. La campagne japonaise s'étale paresseusement au pied des paysages montagneux. Lors de la croisière en bateau sur le lac Ashi ou Hakone, sûr de moi, à présent, je m'approche de Jeanne appuyée au bastingage.

- Quel joyau que ce lac serti dans un décor si mirobolant!

- Monsieur est poète, s'exclame ma compagne, le regard perdu dans le rêve de sa récente mésaventure amoureuse.

- Je suis un passionné de poésie.

- Quand tu auras publié, j'aimerais te lire, à la condition que ce désir, s'il se réalise, ne te cause aucun préjudice.

- Nous sommes adultes, ainsi que Fleur de beauté. Le revirement dont tu as fait preuve constitue une garantie très fiable.

- Je me connais pour savoir que je ne manifeste pas toujours cette force de volonté. Mon coeur me joue de vilains tours parfois.

- Qui peut se vanter d'imiter en chaque occasion l'assurance du dramaturge Pierre Corneille qui fait dire à l'un de ses héros: «Je suis maître de moi comme de l'univers.» (Cinna V, 3.)

- Pour les heures qu'il me reste à vivre dans ce pays de fleurs et de magnificences, l'occasion demeure impensable que des relations intimes se renouent entre toi et moi.

- Qui peut prédire notre destin?

- Tu me surprends, Arthur. Cette phrase résonne en moi comme une lueur d'espoir alors que tu viens de témoigner à Fleur de beauté une fidélité inviolable.

- Ce que tu penses, ce n'est pas ce que j'ai voulu dire.

- Quoi alors?

- Nous habitons dans la même ville. À mon tour, je compte y séjourner quelquefois. D'autant plus que devenu auteur, je me ferai éditer nécessairement à Montréal.

- Je me garderai bien de te laisser mon numéro de téléphone et mon adresse.

- Nous les avons dans nos fichiers, mais je ne les utiliserai pas sans ta permission.

- Si je déménage, ces coordonnées ne te serviront à rien car je demande toujours l'anonymat.

- Alors, tu trouveras des renseignements en ce qui me concerne. D'ailleurs, tu m'as déjà demandé de t'envoyer chacun de mes recueils. Mes oeuvres seront dans toutes les principales librairies, lues pas des millions de gens cultivés. J'aurai des interviews à la télévision, à la radio. Elles seront traduites au moins dans dix langues. Tu finiras bien par me repérer.

- Pardon, je ne croyais pas être en présence d'une étoile de la littérature. S'il en est ainsi, je deviendrai ton admiratrice la plus empressée.

Nous plaisantâmes à qui mieux mieux.

- Laisse-moi te quitter à l'instant, je crains de ne pouvoir répondre de la promesse que je me suis faite de ne plus m'interposer entre toi et Fleur de beauté.

- J'accepte ta décision car elle manifeste la plus grande marque d'estime que tu puisses me donner.

Je la vois s'éloigner, épongeant du revers de la main les larmes furtives d'une tendresse indélébile.

Nous retournons à notre lieu de départ, à l'hôtel de Tokyo par le «Bullet Train». Responsable de tous les passagers, je remarque avec inquiétude que Jeanne manque à l'appel. Il ne reste que deux minutes. Mon coeur flotte de bonheur, la voilà qui arrive précipitamment. Dans sa hâte de monter, elle trébuche et va frapper de la tête sur la plate-forme. Heureusement que le convoi ne la happe pas. Je demeure un instant sidéré, puis montrant mon insigne de guide ainsi que l'horaire, je réussis à me faire comprendre demandant qu'elle soit transportée à l'hôpital de Tokyo.

Fleur de beauté ainsi que moi nous nous y rendons le soir même. Le diagnostic: fracture de l'os iliaque et du tibia. L'hémorragie la sauve de la mort. Elle demeure dans le coma. Aucune illusion, la Montréalaise séjournera ici pendant quelques semaines. Je vais la voir dès que je peux me libérer. Elle ne me reconnaît pas.

À mon retour d'un voyage touristique, je m'empresse de me rendre à l'hôpital. Jeanne est en chaise roulante. Elle a beaucoup maigri, n'étant nourrie qu'au sérum. Tout son attrait s'est réfugié dans ses yeux. J'ai peine à soutenir leur noire ardeur. On dirait qu'ils me supplient de ne pas l'abandonner à la solitude. Mon coeur est partagé: l'amour m'emporte vers Fleur de beauté, modèle en la circonstance; l'amitié m'attache à cette exilée de ma ville natale à qui je peux seul apporter réconfort et espoir.

Au début, mes nombreuses visites à Jeanne ne semblent pas indisposer Fleur de beauté. Quoi de plus normal? À la longue, je m'aperçois que la situation la gêne. Elle refuse de m'accompagner à l'hôpital, insistant toutefois pour que je n'interrompe pas l'aide que j'apporte à celle qui se trouve seule dans un milieu où elle ne peut converser que par signes. J'admire la magnanimité de Fleur de beauté.

Jeanne m'annonce qu'elle doit quitter l'établissement pour entrer en convalescence. Problème épineux. Où la loger? j'en discute avec mon amie japonaise. Un endroit s'offre où elle pourra recevoir des soins attentifs: chez moi. D'autant plus que nous n'avons pas les moyens de lui payer un logis. Nous envisageons le pour et le contre. L'inconvénient majeur qui se pose est abordé. Lorsque je serai en fonction durant trois semaines parfois, qui prendra soin d'elle? Fleur de beauté, les Yukawa s'ingénieront pour assurer la relève. Leur proposition me touche beaucoup. D'ailleurs, comment s'y prendre autrement?

Heureusement, une profonde amitié se lie entre les deux femmes. Mon amour envers Fleur de beauté, durant les rares fois que nous pouvons nous revoir, vu nos horaires, se fait plus ensorcelant, plus inassouvi, d'autant qu'à la saison estivale, les touristes inondent le Japon.

Quant à Jeanne, en dépit de l'attraction que nous éprouvons naturellement l'un envers l'autre et que favorise cette promiscuité fortuite, elle ne trahit pas la confiance de Fleur de beauté. Je fais de même. En certaines circonstances, notre abstinence sexuelle devient héroïque.

Le jour de la séparation arrive. Fleur de beauté prend un congé forcé afin de m'accompagner à l'aéroport. Lorsque l'appareil décolle, j'oublie même la présence de ma bien-aimée pour m'envoler de coeur avec celle qui est venue raviver dans mon âme les fibres les plus profondes de la nostalgie: le magnétisme mystérieux du ciel qui m'a vu naître.

Les deux semaines de vacances prises par Fleur de beauté coïncident avec mes quinze jours de congé. Nous allons séjourner dans une maison d'été que nous avons louée. Nous vivons des merveilles saturées de quiétude et d'enchantement.

Le panorama forme une galaxie de vallées, de montagnes, d'eau, le tout badigeonné de cultures, véritable palette de verts, d'or, de bruns, de bleus, d'argent. Tout est douceur, parfum. La nébulosité, qui s'évapore de la mousson ainsi que des vents humidifiés venus du Pacifique, ajoute son mystère naturel à ce pan d'univers, mélange d'activité, de mysticisme.

Notre amour peu à peu devient plus tangible. Grâce à celle qui a compris le Canadien que je suis resté au fond de moi-même, l'épreuve qui est venue s'abattre sur ma fidélité, n'a fait que la tremper dans le creuset de la purification.

Parfois, étendus sur la plage, nous nous laissons envelopper par le soleil. Pendant que nos corps se bronzent, les yeux fermés, nous goûtons par chaque pore le bien-être de nous trouver deux à savourer la chaleur du sable, entendre le baiser du flot venant rafraîchir la rive.

L'obscurité venue, dans ce jardin que la lune éclaire en demi-tons, le silence rend la cadence des flots. La nuit pose sur l'archipel son voile paré d'étoiles. Nous écoutons l'océan jouer une sérénade.

À l'aurore, je contemple Fleur de beauté qui fait sa toilette dans l'onde miroitante. Ses yeux en réfléchissent le cristal. Ses cheveux ondulent comme des algues. Son regard reflète la douceur de l'eau. Son sourire fait éclore les pétales de ses lèvres.

Un matin, à mon réveil, je n'aperçois pas ma compagne près de moi. Ma première idée me dit qu'elle s'est levée tôt pour aller se baigner dans l'océan. Je bondis et cours vers la grève. J'y vois non seulement les empreintes de deux pieds, mais de six. Je me précipite, pas de traces.

J'ai tout de suite, sans savoir pourquoi, le pressentiment qu'elle a été kidnappée. Pourquoi m'a-t-on laissé la vie? Ne serais-je pas un témoin gênant?

Sachant combien je chéris sa fille, monsieur Yukawa ne m'adresse aucun reproche; au contraire, il s'attendrit sur mon sort comprenant que ma souffrance est aussi profonde que celle des membres de la famille pour un motif bien différent toutefois.

Les enquêtes débutent. Je suis harcelé de questions. L'interprète étonne policiers et détectives d'après les gestes de refus que je vois et la colère qui se peint dans leurs mimiques. Ne sachant à quoi attribuer leurs dispositions qui me paraissent hostiles, je m'enquiers auprès de l'individu traduisant mes réponses.

- Quels arguments évoquer?
- D'après moi, les seules personnes capables de leur faire entendre raison sont monsieur et madame Yukawa.
- Le procès aura-t-il lieu?
- Sans aucun doute!
- Que faire pour m'en tirer?
- Attends et prie ton Dieu, tu ne disposes pas d'autres moyens.

Vu la position bien considérée du père, on commence une enquête qui met les plus fins limiers sur l'affaire. On me demande si je ne me serais pas aperçu de la jalousie d'un rival depuis mes premières fréquentations avec Fleur de beauté. Ma réponse négative abat quelque peu le zèle des perquisiteurs.

Un début de révolte fomente parmi ses compagnes. Leur partenaire était très estimée, toutes l'adoraient, reconnaissant en elle une amie débordant d'altruisme. Sa gentillesse tranchait sur celle de ses compagnes, bien qu'entre elles, les attentions délicates faisaient le charme de leurs relations.

J'apprends que des têtes fortes prennent de plus en plus d'ascendant sur les compagnes pusillanimes dans le cercle d'amies que fréquentait Fleur de beauté; c'était à prévoir. Plusieurs solutions coercitives sont émises: m'enlever mon emploi, ce qui signifie pour moi la misère à moins que les

Yukawa ne m'hébergent. D'autres plus intransigeants décident de me retourner dans mon pays.

Fleur de beauté n'étant plus là, cette dernière solution me semble la meilleure. Je commence mes préparatifs. Mes valises sont bouclées. Voilà qu'un indice probant joue en ma faveur. Au cours d'un dialogue avec les parents de la disparue, j'apprends que le conducteur du car s'est amouraché de leur fille. Qui sait? Aurait-il payé des séides pour la punir de son refus? L'hypothèse s'avère plausible pour expliquer le motif qui l'a poussé à m'épargner, me faire souffrir atrocement, me laissant la vie sauve. Quelle douleur peut se comparer à l'incertitude? La personne adorée vit-elle ou non? Lui fait-on endurer les pires sévices ou s'en sert-on comme otage? La reverrai-je? Massillon constate que «l'incertitude des événements, toujours plus difficile à soutenir que l'événement même.» L'incertitude, mal dont le remède se trouve dans la patience d'attendre.

La parenté, les amis de l'amoureux se liguent contre moi.

Les habitations, en général, sont en matériaux facilement inflammables. La mienne devient la proie du feu, oeuvre de la vengeance. Cet acte de vandalisme, eu égard à l'enquête qui s'ensuit, me condamne à rester au pays. Je suis hébergé par les Yukawa. Un de leurs neveux est Yakuza. Il fait appel à son clan de gangsters afin de retrouver la jeune femme.

Le présumé auteur du crime est porté disparu. Les guides survoltés ameutent la population du quartier. Il en résulte une guerre de partis. La police surveille jour et nuit le domicile des Yukawa. La situation ne peut durer; toutes les personnes impliquées sont à bout de nerfs.

Par la force des choses, je provoque la haine de plus en plus accentuée des guides et risque d'envenimer la querelle entre les Yabura et les Tokugawa. Monsieur Yukawa m'envoie dans un monastère bouddhiste, retiré dans la montagne, où l'un de ses amis parle le français.

Le décor baigne dans la piété, unissant l'oraison de la splendeur à la méditation sur l'Auteur du beau. Les cigales, ces chantres du soleil, font vibrer les échos de leurs louanges vocales. Dans ce paradis verdoyant vivent les anges de la terre, ces personnes consacrant leur existence à fondre leur âme dans la divinité alors que leur corps, nourri de jeûne, lui facilite l'envol. Elles restent des heures, accroupies, momies vivantes, mortes aux futilités des biens terrestres, goûtant déjà l'extase du nirvana.

Le monastère s'imprègne de quiétude. Le temps a usé les marches de granit. Les plantes recouvrent d'un réseau ces jades et ces ors. Ä flanc de montagne s'étagent des cours. Partout le lichen, les herbes grimpantes montent à l'assaut de ces hauteurs ornant de frises des portails et répandant leur poussière cendrée sur les multiples pierres tumulaires. Au sommet, s'établit le contraste entre la ville, ses activités fébriles et ce désert de ciel anticipé, où l'âme semble se séparer du corps.

Un gigantesque Bouddha doré, assis dans un lotus d'où il semble né, trône sur son socle bronzé. Deux gardiens du saint lieu flanquent le dernier portique. Le poing menaçant, la figure grotesque, apeurante, ils chassent, par leur attitude, les esprits mauvais qui voudraient pénétrer. Des prières écrites sur de minces feuillets sont mises dans les arbres.

5

Le procès

Je suis absorbé dans la méditation transcendantale, transposant l'enseignement catholique de la Trinité à la théorie bouddhique. Ce qui retient mon attention: le mystère de la troisième Personne. Dieu le Père, de toute éternité aime tellement le Fils, celui-ci est attiré avec une telle force vers le Père que cette explosion d'affinités engendre une troisième Personne: le Saint Esprit. Pourtant, les Trois sont Un, égaux, n'ont pas de commencement ni fin. Au Père, est attribuée, dans notre langage humain, la création; au Fils, la rédemption ou rachat du genre humain; à l'Esprit Saint, la sanctification des âmes.

Comment trois personnes peuvent-elles former un seul Dieu? On retrouve ce même mystère dans la Trinité des Hindous: Brahma, Vichnou, Siva. Brahma, dieu créateur, représente la puissance et le passé. Vichnou, dieu de la force conservatrice de l'Univers, symbolise la sagesse et le présent. Il supplante Brahma et devient le dieu suprême, l'âme universelle dans laquelle le monde vient s'absorber lors de sa dissolution. Vichnou s'incarne parfois pour descendre sur terre; c'est ce qu'on nomme ses avatars. Au jour de la dissolution du monde, Vichnou prendra la forme apocalyptique de Kalki. Vichnou est représenté avec une triple tiare sur la tête et sa femme, la belle Lakhmie, à ses côtés. Siva exprime les forces indomptées de la nature, des puissances terrestres, reproductrices, mortelles «éternellement génératrices de vie», le feu destructeur, la justice et l'avenir. Ce dieu triple constitue l'être suprême ou Parabrahman.

Bien qu'une certaine analogie existe dans les attributions de chaque Personne de la Trinité catholique et hindoue, une différence fondamentale distingue les deux croyances: la Trinité bouddhique est formée de personnes séparées les unes des autres; la Trinité chrétienne, Père, Fils et Saint Esprit comprend trois Personnes dans l'unité d'une même nature.

Plongé dans ces réflexions théologiques, tel un somnambule, je me lève et vais trouver le bonze chargé de mon initiation. Il m'avait appelé par la télépathie. Se concentrant, sa pensée avait communiqué avec la mienne au moyen d'ondes, m'invitant à venir à lui pour me transmettre le message suivant:

«On vient vous chercher pour vous amener à la cour. Monsieur Yukawa vous attend dans la salle d'entrée.»

Quelle joie de revoir ce protecteur!

- Nous avons mis la main sur le coupable.

Le conducteur du car?

- Exactement! Il nie tout. Des témoins l'ont vu amarrer. Il traînait une adolescente de force; ses poignets étaient menottés, derrière le dos. D'après la description qu'ils ont faite, il était facile de repérer les personnages.

- Vous allez réussir à le faire parler.

- Ne te tracasse pas, nous possédons des moyens efficaces.

- Quand s'ouvre le procès?

- Demain.

- Dois-je comparaître?

- Certainement.

- Quitter ce monastère me donne un choc.

- Je n'aurais pas cru qu'à ton âge surtout, sans compter ton éducation occidentale, ce genre de vocation allait tellement te plaire. Tu n'as pas l'idée de devenir un bonze? Ma fille en souffrirait tellement qu'elle agoniserait de douleur. Car elle t'adore!

- Même si cette vocation me plaît, je ne pourrais renoncer à vivre en compagnie de Fleur de beauté. La revoir me procurerait la seule félicité pour laquelle je suis revenu dans ce pays.

- Prends confiance. Tout va s'arranger pour le mieux; Le Bouddha, dans son illumination, va nous inspirer; la vérité éclatera comme le lotus qui s'épanouit pour éclairer les fleurs du parterre.

Je vois mon rival. Petit, trapu, comme il contraste avec celle qu'il désire! On dirait un chardon voulant étouffer un lys. Les yeux méchants, il fixe sur moi un regard survolté. Il est flanqué de deux colosses à la stature de lutteurs. À l'accusation portée, un silence dur, obstiné sert de réponse. On me traduit qu'un témoin soutient avec certitude l'avoir vu, à telle heure, telle date précises, traîner violemment une mousmé qu'il précipita dans une vieille auto. Il se mit derrière avec elle; deux séides prirent place en avant, l'un conduisait. Le spectateur écrivit le numéro d'immatriculation, téléphona au poste de police, disant dans quelle direction les malfaiteurs se dirigeaient. Pendant ce temps, son copain, sautait dans une embarcation afin de remorquer le yacht qu'ils avaient abandonné au fil de l'eau.

Ces indices probants ne firent pas sourciller le condamné qui ne cessait de me fixer comme si toute sa haine de Nippon voulait déverser son acidité sur l'étranger que j'étais, coupable à ses yeux, d'aimer une de ses compatriotes, justement celle qu'il convoitait.

Le juge lui ordonna, pour une dernière fois, de révéler l'endroit où il retenait captive la fille du docteur Yukawa. Le kidnappeur rétorqua: «Si vous ne me libérez pas sur-le-champ, mes compagnons tortureront Fleur de beauté dans la mesure où vous prolongerez mon séjour en tôle. Surtout, ne vous avisez pas de porter la main sur moi, votre splendide danseuse deviendra méconnaissable, au point que même ce voleur de Japonaises (me montrant du poing) ne voudra plus d'une loque nippone.»

La stupeur cloua l'assistance. Le juge resta pantois. La famille de la disparue fondait en larmes. Pour ma part, l'indignation provoquée par ce fantasque m'aurait porté à bondir sur lui, même si j'étais persuadé qu'il n'aurait fait de moi qu'une bouchée. Le juge ordonna de ramener le prisonnier; la séance est reportée au lendemain.

Monsieur Yukawa trouve plus pratique de me loger chez lui. Un peloton nous escorte et demeure aux abords de la maison durant la nuit, redoutant que le gang des ravisseurs n'use de représailles. De fait, au cours de la soirée, des coups de feu s'échangent. On réussit à faire prisonnier un blessé; il dévoile l'endroit de la cachette.

Fleur de beauté vient à la barre. Heureusement, on est arrivé à temps pour ne pas que les menaces du chef ne soient mises à exécution. Elle avoue toutefois avoir été violée par chacun des trois jeunes gens, à maintes reprises. L'auditoire révolté apprend avec satisfaction que des travaux forcés à perpétuité règlent le sort des criminels.

Nous recommençons, Fleur de beauté ainsi que moi-même, à reprendre nos occupations de guides touristiques. L'idée d'avoir pu la perdre à jamais m'unit davantage à elle par la pensée. Connaissant les hôtels où nous séjournons, nous nous téléphonons fréquemment.

Heureux temps que celui où libres les mêmes jours, nous visitons les principaux lieux d'attractions, surtout les temples et les pagodes. Mon amie est très croyante. Elle passe des heures en contemplation devant une statue représentant le Bouddha! Accroupie devant l'idole, les yeux clos afin de ne permettre à rien de profane d'envahir son moi intérieur. Elle jouit d'une béatitude extatique.

Trouvant cette concentration trop longue, je me promène dans le lieu saint, observant le va-et-vient des personnes dévotes. Quelques-unes apportent des offrandes, d'autres remettent aux bonzes des baguettes parfumées. Ces endroits sacrés exhalent une paix toute odoriférante de divinité.

Voir prier ces ascètes ne peut faire autrement que de rendre visible la divinité. Ils imposent à leur corps des exercices de pénitence, des privations, des mortifications. Mourant ainsi à la vie charnelle pour ne vivre dès ici-bas que de contemplation afin de parvenir à l'union avec la divinité, principe de l'être. D'après Remy Gourmont: «... le mysticisme peut être dit l'état dans lequel une âme, laissant aller le monde physique et dédaigneuse des chocs et des accidents, ne s'adonne qu'à des relations et à des intimités directes avec l'infini.» On doit d'abord passer par le karma ou l'extinction du désir humain entraînant la fin des naissances et des morts. L. Renou l'explique ainsi: «Tout acte, toute intention, inscrivent dans la personne un effet qui mûrit, soit dans cette vie, soit plus souvent dans une vie future et qui constitue le destin de l'être...» «L'aboutissement conduit au nirvana, état de bonheur parfait de calme de sérénité suprême, une fusion de l'âme individuelle et de l'âme collective» explique Paul Robert. Autrement dit, ainsi que le comprend Paul Claudel. «C'est l'idée du Néant ajoutée à celle de jouissance.»

Les catholiques expriment le même cheminement par les trois âges de la vie intérieure: voie purgative, voie illuminative, voie unitive.

Ma compagne et moi, ayant commencé par l'attrait physique, nous en sommes venus peu à peu à nous complaire dans la présence mutuelle. Nous trouver simplement ensemble établit une osmose où nos personnalités si disparates se comprénètrent. Nos moments de silence prolongés, passés à nous tenir par la main ou à nous enlacer permettent à nos coeurs de composer des poèmes d'amour dont l'affinité demeure le thème.

Parfois, il m'arrive de ne pas me montrer gentil envers Fleur de beauté soit en disant une parole qui la blesse, ou omettant d'accomplir une promesse faite. Bien qu'il ne se glisse point de malice dans ces oublis, elle me les reproche si tendrement, elle en souffre d'une façon si intense dans sa sensibilité à fleur d'âme que des larmes expriment le repentir qui m'étreint. De son côté, des caprices trop puérils, un manque de fermeté dans certaines occasions m'affectent au point qu'elle remarque dans mes traits la désapprobation. Ces heurts inévitables de part et d'autre nous rapprochent plus intensément.

Tout semble terminé pour de bon, lorsqu'un fanatique du camp des Yakusa, dont fait partie le frère de Fleur de beauté, s'en prend à la soeur du chef des ravisseurs de celle-ci. Il veut lui remettre ce que Fleur de beauté a enduré. Le kidnappeur séquestre sa victime, lui infligeant les pires supplices. Lorsqu'on découvre le cadavre de cette adolescente, il est criblé de marques causées par des cigarettes allumées. L'autopsie révèle qu'on a abusé d'elle sexuellement. Le corps a été tailladé de coups de poignard ce qui lui a fait perdre tout son sang. Le clan des trois criminels purgeant leur peine, m'accuse d'avoir commis cette infamie. L'intervention de M. Yukawa ne s'avère d'aucun secours. En attendant la sentence, on m'incarcère.

En tant qu'étranger, je deviens la cible des avanies et des moqueries des prisonniers japonais. Les gardiens, de connivence, ferment les yeux sur leur acharnement. Heureusement que je ne comprends pas leur langue, car les insultes qu'ils m'adressent d'après leurs gestes méprisants et lubriques m'auraient fait agonir d'horreur.

Ces bandits pendant les heures de sommeil qu'une extrême fatigue me permet de prendre expulsent leurs matières fécales et urinent sur moi, ce qui provoque des haut-le-coeur.

Je nage dans un habit beaucoup trop ample. La malnutrition me donne l'apparence d'une stature tout en os. Ma figure ressemble à celle d'un squelette où resterait attachée une mince couche de peau. Je n'ai plus la force de me tenir debout et croupis dans cette pesanteur.

Fleur de beauté, étant venue me visiter, s'est évanouie, ne pouvant supporter de voir les ravages exercés sur mon physique. Elle fut exemptée ainsi d'entendre les hurlements, les sarcasmes des repris de justice qui mimaient des poses provocantes. Je me faisais beaucoup de peine pour elle. J'imaginais facilement les affres morales qui la rongeaient.

Les événements tournaient au pire. Les affrontements prenaient de l'ampleur. Les règlements de comptes se multipliaient. Cela me servit en un sens; ceux que l'on incarcérait et qui défendaient ma cause, me protégeaient; sans cela, je n'aurais jamais survécu à tant de sévices inspirés par un racisme implacable.

Je comparais au tribunal. Je ne réussis même pas à convaincre l'avocat de la partie adverse de mon alibi. J'apprends que le juge a reçu des menaces, s'il me libère. Ma cause semble perdue d'avance. Monsieur Yukawa voyant sa fille dépérir davantage chaque jour et devant les proportions alarmantes de ce genre de guérilla se rend au consul du Canada, situé à Tokyo.

J'obtiens ma libération conditionnelle. Je suis suspendu de mes fonctions comme guide touristique. Fleur de beauté se remet petit à petit. Nous grugeons nos économies afin de subvenir à notre subsistance. Connaissant les rouages des enquêtes judiciaires locales, en pareille circonstance, Fleur de beauté doute beaucoup de mon acquittement. Nous vivons une situation pire que l'expulsion. Constamment sur le qui-vive nous ne pouvons quitter les lieux, sous peine d'être accusés, moi, comme étant l'auteur du meurtre; Fleur de beauté, à titre de complice.

Notre vie commune reçoit les retombées de ces méfaits. Rien ne surpasse en atrocité le traumatisme, cette cruauté mentale qui ne laisse aucun répit. Nous avons bien essayé de nous aguerrir contre la douleur; la moindre nouvelle nous surexcite. Nos nerfs flanchent peu à peu. Le procès reprend. Au cours des audiences, une ambiance d'hostilité nous étouffe.

Les efforts faits pour garder notre moral n'aboutissent qu'à nous soutenir l'un l'autre sans espoir, du moins dans le déroulement des assises actuelles, d'en sortir vainqueurs. Nous sommes minés par l'idée fixe de lutter désespérément contre les gens ligués contre nous.

Notre planche de salut, nous la plaçons dans Hysako, la petite-fille de monsieur Yukawa, qui vient d'être reçue détective privée à la criminelle. Elle y va avec circonspection, mais décidée à déjouer tous ceux et celles qui trament dans l'ombre leurs machinations machiavéliques. Elle a commencé son enquête et questionné quantité de gens. Rendue sur les lieux du crime, elle a en sa possession toutes les pièces à conviction et ne néglige aucun détail qui pourrait la mettre sur la piste.

Hysako croit que l'auteur du crime a agi en tant que séide. Il faut remonter à l'organisation qui embauche des tueurs à gages. Au cours d'une de ses perquisitions, elle fait la connaissance d'un type qui s'intéresse plus qu'il ne convient à sa beauté. Il ne cesse de lui décocher des clins d'oeil significatifs. Elle fait semblant d'ignorer son manège. Il l'invite à un restaurant chic de Tokyo. Elle accepte, flairant quelque chose de louche de la part d'un inconnu si empressé de faire plus ample connaissance.

Évidemment, deux flics en civil la protègent. Attablés, Hysako et son compagnon se présentent, sous de faux noms, bien entendu, Hideyoshi, pseudonyme de Nakamura Lushimi, ainsi qu'elle l'apprendra plus tard, Hysako, alias Ashikaya Ta kauji. Son vis-à-vis ne cesse de la féliciter relativement à son apparence. Sans doute, une robe qui laisse à découvert l'origine des seins et dont l'étoffe auburn transfigure son visage au teint de pêche, hypnotise le regard. Le sourire éclabousse de carmin les dents plus blanches que des reflets de neige. L'arc ombré des sourcils trace des traits mordorés au-dessus des paupières opalines. Son collier allume des étincelles de prisme dans la lumière. Le visage a l'attrait d'un coeur. La chevelure nimbe d'un halo noir parsemé de diamants son minois épanoui.

- Vous savez, c'est fou ce que vous êtes attirante.
- Merci! Que faites-vous dans la vie?
- Pas si vite, on dirait une espionne.
- Pourquoi m'avez vous invitée, nous ne nous connaissons pas.
- Justement. J'aimerais savoir vos goûts.
- À quel sujet?
- Surtout en ce qui concerne vos genres de sorties.
- J'aime bien m'amuser.
- De quelle façon?
- Surtout danser.
- Les slows.
- J'adore.

Il se lève pour m'embrasser. Je résiste. Il insiste.

- Si tu ne te tiens pas tranquille, je quitte immédiatement, lui dis-je d'un ton autoritaire.
- O.K. Penche-toi vers moi.

Je m'exécute.

- Après la danse, on va finir la soirée ensemble.
- Ça dépend où.
- Tu ne le regretteras pas, nous allons nous amuser à plein.
- Je comprends. Tu veux que j'aille faire l'amour.
- Tu devines à moitié.
- Là, je ne saisis pas.
- Si je te l'avoue, tu vas refuser.
- Ça promet!

- Faire l'amour à plusieurs.

- Quoi! Tu oses me proposer une chose pareille!

- Je connais une maison. Tu n'as rien à craindre personne ne le saura jamais.

- Où?

- Là tu te montres raisonnable.

Il griffonne l'adresse sur sa serviette de table. Après le repas Hysako prétexte qu'elle veut passer aux toilettes. Ayant patienté un assez long temps, l'individu ne se possède plus. Après avoir bu verre sur verre, il est en état d'ébriété. Il jette par terre les assiettes. Le serveur s'approche pour ramasser les dégâts. Il l'engueule, lui donne un coup de pied. Les deux policiers interviennent. Il sort un poignard pour se défendre. On saisit l'arme. On lui passe les menottes. Il est conduit au poste de police. Elle observe tout à quelque distance de là. À son tour, elle est empoignée par deux gorilles qui l'emmènent à leur auto et se dirigent vers le lupanar en question.

Elle endure l'humiliation et les tourments proposés par Hydeyoshi. Laissée presque morte, Hysako entend des voix qui annoncent:

- Police, les mains en l'air et que personne ne bouge.

Un des voleurs a réussi à s'approcher d'elle. Il la presse contre lui, braque un revolver sur la tempe et vocifère:

- Si vous touchez à un de mes copains, je tire.

Position délicate. Il aurait certainement exécuté sa menace. Le chef de l'escouade rétorque:

- Bien, sortez d'ici.

Ils descendent. Elle est toujours otage. Une seule solution s'offre. Les agents secrets prennent la direction opposée. Une auto-patrouille fantôme a été alertée. Les polices communiquent par radar. On a repéré l'endroit où pénètrent les malfaiteurs. Ne se sentant pas épié, celui qui la détient descend le dernier. Au moment où il pénètre dans le repaire, une balle dans le dos l'étend raide mort. Ses complices veulent venir à la rescousse; ils subissent le même sort.

Hysako est transportée à l'hôpital. Elle ressent de vives douleurs à la colonne vertébrale, ayant subi le poids de ces sadiques. Nous avons là une guerre de clans. On craint que les vengeances ne se multiplient. Les agents sont sur les dents. Une recherche fouillée révèle que le juge, sous menace de mort, doit me laisser moisir en prison. Monsieur Yukawa ne l'entend pas ainsi. Depuis qu'Hysako a été maltraitée d'une façon si bestiale, il met tout en oeuvre pour obtenir justice.

Dans des articles percutants, il dénonce, preuves à l'appui, les agissements pervers de cette clique. Il réussit à soulever la population du quartier. L'ordre revient graduellement.

Grâce aux bons soins de Fleur de Beauté, je me rétablis sensiblement. Elle reprend son service et moi le mien. Nous nous revoyons à chaque occasion qui se présente. Notre amitié ne s'est pas encore muée en amour. L'échange à propos de tout et de rien, l'admiration mutuelle qui ressuscite à tous les matins nous unissent plus que si nous étions mari et femme.

Un soir que la lune bleute le paysage, mon amie et moi décidons de louer une embarcation pour nous évader romantiquement au bord de la mer. Dans la pénombre, après quelques heures de voile, nous apercevons une jonque qui s'approche de la nôtre. Croyant que ce sont des amis, l'idée nous vient de balancer un fanal en signe de salutation. À notre grande surprise, on fonce sur nous; se servant de leur godille, les deux passagers réussisent à nous jeter à l'eau. Fleur de beauté ne remonte pas; je plonge à sa rescousse, la cramponne à l'épave; lui soutenant la tête hors de l'eau, je la remorque vers le rivage. Mon amie n'a point encore repris connaissance.

Après trois jours d'un repos réparateur, entrouvrant les paupières, elle m'aperçoit. Trop faible encore pour prononcer une parole, trop éblouie malgré la lumière tamisée que filtre un écran bariolé, elle ferme les yeux et, en signe d'affection, me presse la main. Un sentiment ineffable établit son message entre mon âme et la sienne.

Un mois s'écoule, la santé de ma bien-aimée revient pas à pas. Toutefois, de fréquentes rechutes, ponctuées d'étourdissements prolongés, terrassent sa fragile constitution. Enfin, le mieux se fait sentir par intermittence.

Un sentiment nouveau, étrange me comble de contentement; j'éprouve un ravissement que seule peut expliquer la possession d'un autre coeur. Ces émanations de nymphe, ces charmes de sirène qui entourent la femme comme d'un halo, quelles vives impressions ils produisent! Je me laisse fasciner par ce regard magnétique me couvrant d'amour.

La convalescence tire à sa fin. Fleur de beauté me demande:

- Veux-tu m'épouser? Je guérirai, je le sais, je le sens.

Avant que je ne lui donne ma réponse, la malade, les paupières aussi rouges et gonflées que si elle souffrait d'ophtalmie, les joues s'avalant, les traits étirés, le coeur battant par intermittence, comme gêné dans une gaine qui l'étouffe, est ramenée en toute hâte, à la salle d'examen.

J'aurais voulu lui avouer: «Oui, comment peux-tu en douter? Je ne puis me passer de toi. L'univers qui m'entoure n'est plus rien sans ta présence. Aucune créature ne me plaît et ne me charme davantage».

Quelques semaines se sont écoulées. En compagnie de Fleur de beauté, je chemine sentimentalement aux abord d'un temple. Le printemps s'allume aux chandelles de la ramure. Partout, les bourgeons épanouissent leurs étincelles roses sur les guirlandes sombres des branches. Nous nous arrêtons afin de mieux contempler le renouveau de la quiétude.

Pendant que nos regards veulent se pénétrer de la splendeur qui s'étale devant nous, nos coeurs, par télépathie, revivent les émotions ressenties lors de l'attentat à notre vie.

Fleur de beauté, au cours d'une sortie en ville, fait la connaissance d'une dame de quarante ans environ. L'inconnue manifeste une affabilité obséquieuse. Elle l'invite ainsi que son père, son frère et moi à son chalet situé sur une île près de Kyoto. Tous les cinq, profitant d'une de ces journées si superbes d'été qu'on la croit irréellement sereine, allons camper. Monsieur Yukawa son fils et moi, nous nous éloignons un peu du bord pour pêcher. L'hôtesse et l'invitée préparent le dîner en attendant de faire cuire la friture. Ma fiancée m'avouera que la dame en question la fixe d'une drôle de façon. Nous ne le saurons que plus tard, elle pratique l'hypnotisme. Dix secondes après, le sortilège opère.

- Fleur de beauté, prend la chaudière et va puiser de l'eau. Avance jusqu'au milieu. Ne crains rien, ce n'est pas profond. D'ailleurs, en cas de danger, nous serons quatre à te porter secours.

Telle une somnambule, mon amie me raconta qu'elle saisit le sceau et parvint au rivage. Arrivée au bord, elle continua sa marche, rassurée par les encouragements de l'inconnue.

- N'aie pas peur, ma chérie.

Lorsque Fleur de Beauté en eut jusqu'aux épaules, la dame, sachant que les deux hommes n'auront pas le temps de la secourir, se met à crier comme une perdue:

- Au secours! Au secours! Fleur de beauté se noie!

Tous trois, nous tournons la tête du côté de Fleur de beauté la voyant, en effet, s'immerger. Sans prendre le temps de nous dévêtir, nous nageons vers elle, la ramenons sur le rivage et pratiquons la respiration artificielle. Elle est sauvée de justesse.

Les Japonais sont très superstitieux. Ils croient au dieu du bien et aux génies du mal. Dans les circonstances précitées, c'est le mauvais esprit des eaux qui s'acharnait sur Fleur de beauté. Pour contrer ses méfaits, nous entreprenons un pèlerinage à l'île Miyajima la sainte, dans la mer Intérieure, afin de nous attirer la protection de Susa-no-o, le roi de la Mer. Nous visitons les trois temples dédiés à ses trois filles. L'un est situé sur le rivage, l'autre sur une colline et le troisième sur le plus haut pic. Nous apportons des fleurs, il va de soi, de la nourriture pour qu'elles puissent continuer à se nourrir et des bâtonnets d'encens. Nous dûmes apaiser le dieu car, nos tribulations, à partir de ce moment-là, nous les avons éprouvées sur la terre ferme.

Il neige. Un ciel de confettis étoilés papillotent dans l'air. Les arbres déposent devant les demeures des bouquets de toutes formes. Cheminant, le coeur plein de carillons, à la perspective des réjouissances qui dureront une quinzaine de jours; je siffle pour libérer mon exubérance. Je chanterais à tue-tête si je ne craignais pas de paraître ivre, ayant flâné devant les vitrines pour y admirer surtout les bijoux, les lampes, les peintures, je quitte l'éblouissement des néons pour pénétrer dans le tunnel d'une sombre ruelle où les quelques réverbères prennent l'apparence de lumignons comparés aux serpentins d'ampoules électriques installés en guirlandes sur la rue, dans toute sa largeur.

Tout à mon bonheur, je remarque à peine un incident qui, en temps habituel, m'aurait horrifié. Passant à l'extrémité d'une ruelle, j'aperçois hors du coffre, à l'arrière d'une auto, un bras qui pend. La tête pleine d'idées de jouets, je crois tout simplement voir une poupée grandeur naturelle. J'oublie complètement le fait.

Dans l'attente de revoir Fleur de beauté, revenu chez moi, je reçois un coup de téléphone de monsieur Yukawa.

Il apprit à la télévision qu'une femme de vingt-deux ans a disparu mystérieusement. On la croit victime d'un attentat.

- Prière à toute personne qui aurait eu des renseignements à son sujet de communiquer avec la police.

Le père de Fleur de beauté ajoute:

- Ma fille qui devrait être de retour de son travail n'est pas encore entrée. D'après la description donnée. Je crains fort que ce ne soit elle.

Afin de ne pas affoler davantage cet homme, bouleversé à l'extrême, je réponds:

- Je vous rejoindrai tout à l'heure.

À toute vitesse, sans avertir personne, je retourne à fond de train où j'avais vu l'auto. Je n'avais pu distinguer sa couleur dans l'obscurité; de plus, l'événement ne m'avait pas frappé. Le véhicule n'est plus là. Un instinct plus fort que mon vouloir me pousse à fouiller les environs.

J'entends un gémissement à peine audible. Je me crois l'objet de mes hallucinations. J'allais m'en retourner d'autant plus que, dans ma précipitation, je n'avais pas pris la précaution d'apporter une lampe de poche et je n'y voyais guère. Voilà que je perçois un autre râle; m'approchant à tâtons, je bute contre une poubelle. Le couvercle, au toucher, semble bombé. Je le soulève. Ma main s'englue. Je palpe des cheveux. Plus mort que vif, je prends mes jambes à mon cou afin de me rendre au poste de police. Bientôt, je sens derrière moi l'haleine de quelqu'un qui me talonne. Parvenu à la rue qui est plus éclairée, mon poursuivant a disparu. Pour m'en assurer, je me retourne, je ne vois personne. Je téléphone au père de la disparue afin qu'il traduise mon récit aux policiers. La patrouille, arrivée à l'endroit indiqué, ne peut même pas découvrir la boîte à ordures ménagères. Seule ma main ensanglantée confirmait que je n'étais pas victime d'une impression.

Le sommeil me boude car j'échafaude les perquisitions les plus minutieuses pour sauver ma bien-aimée. Première idée, faire une ronde chaque soir dans les rues faiblement éclairées ainsi que parcourir les ruelles. Cette fois, je me munirai d'un réflecteur portatif et d'une matraque dissimulée dans ma ceinture car je m'attends à être attaqué. Dès demain, je m'inscrirai au cours de karaté, car si l'on me prend par surprise pour me sauter dessus, je saurai me dégager de mes assaillants.

Heureusement que les pensées macabres qui m'étreignent me permettent de profiter du calme de ma chambre pour réfléchir au plan qui, j'en demeure persuadé, doit me mettre sur la piste de Fleur de beauté.

La police tient absolument à découvrir les auteurs du crime car elle flaire tout un réseau de machinations qui serait probablement à l'origine de la vague de cynisme sévissant dans le quartier. On va se servir de moi comme appât tout en m'assurant protection et en ne me quittant pas d'une semelle. D'après les enquêtes faites dernièrement, on croit que le noyau de cette petite pègre a établi son repaire dans la basse ville de Tokyo. C'est là que je dois attirer leur attention en les jetant dans les bras des meilleurs détectives.

Un soir que je m'attarde devant un étalage, un individu s'approche de moi à l'improviste; il me toise avec l'air de quelqu'un cherchant à se rassurer s'il poursuit la bonne personne. Ne prenant aucune chance, je me sauve à toute vitesse. Il me court après. Les deux policiers, qui se tiennent à quelque distance, descendent en hâte de l'auto. La chasse à l'homme commence. Mon assaillant enfile une ruelle, les agents secrets perdent sa trace. S'ils reviennent bredouille, ils savent du moins qu'ils ont découvert le bon secteur. Il s'agit pour moi de jouer gros jeu. Je prends de grands risques, mais par contre, je tiens en quelque sorte les ficelles des manoeuvres. Toutefois, la partie adverse se trouve alertée; elle aussi sait désormais qu'on m'emploie pour les amener à se découvrir. La lutte devient de plus en plus serrée. C'est, pourrait-on dire, des échauffourées de maquis en pleine métropole. Chaque partie cherche à surprendre l'autre par la ruse, tout en dissimulant ses positions.

Un soir, très tard, descendant du métro, je pénètre dans un quartier très isolé; je reçois sur la tête un coup qui me fait perdre connaissance. Je me retrouve le lendemain, vers midi, dans un appartement où deux hommes se tiennent à mon chevet. L'un parle assez bien français.

- Où suis-je?
- À Tokyo, sois sans crainte.
- Ouvrez les rideaux que je reconnaisse cette partie de la ville.
- D'abord, tu vas déjeuner; ensuite, je te pose quelques questions, juste pour satisfaire notre curiosité.

Pendant que l'une des sentinelles s'absente, l'autre me prévient:

- Il suffit de me donner quelques petits renseignements très anodins.
- Tu me crois peut-être naïf, espèce de brute. Tu ne sauras rien de moi.
- Voilà qui s'appelle avoir du cran. Je vais te présenter une jeune dame qui sans doute saura te plaire.

Quelle stupeur de reconnaître Fleur de beauté, les yeux presque baissés et toute rougissante, dans la serveuse qui m'apporte mon cabaret! Elle le dépose sur une petite table tout près de moi. Je la vois qui glisse sous mon matelas un carré de papier plié.

- Rapportez le tout. Notre hôte préfère répondre à jeun à notre interrogatoire.

Après son départ, mon kidnappeur m'avertit:

- Nous allons revenir à l'heure du souper et si tu t'entêtes à faire la mule, des moyens plus convaincants vont te délier la langue.

- Tes menaces ne m'effraient pas, espèce de matamore.

Il m'administre, en partant, une de ces taloches qui me catapulte, l'espace de quelques minutes, dans un monde d'étoiles.

Revenu à moi, je me couche sur le côté, profitant des seules lames de lumière que le soleil glisse entre les languettes du store. Le message sous le matelas, une fois parcouru, me plonge dans une admiration aussi grande qu'extrême fut ma révolte un peu plus tôt.

Cette lettre produit l'effet d'une bombe de joie suivie d'un moment de transes mortelles. Je m'étends sur le dos et pense à Fleur de beauté. J'en conclus qu'il se trouve au fond du coeur humain un sentiment de fraternité plus fort que l'égocentrisme. Sans doute, l'amour instinctif ou l'intérêt personnel peuvent motiver certains actes d'entraide; même si ces raisons entrent parfois en ligne de compte, le fond de notre être nous pousse, si nous suivons la loi de la nature, ni plus ni moins qu'à l'héroïsme. Je me compte chanceux d'en faire l'expérience.

Au repas du soir, mes deux acolytes attendent l'entrée de la serveuse. Ne pouvant maîtriser son émotion, elle renverse le plateau. On fait sortir la jeune femme. Pendant qu'un des gardiens m'immobilise, l'autre, flairant un subterfuge, se met à palper mon lit. Il découvre le message laissé sous le matelas.

- On s'est déjà trouvé une complice dans la place, lance d'un air cynique celui qui tient en main le papier fatal. Il fait venir ma bien-aimée, lui administre un soufflet retentissant, la bâillonne et lui menotte fortement les mains derrière le dos, lui attache aussi les chevilles. Je subis le même sort. Nous nous regardons, effarés, devinant qu'il va se passer quelque chose d'atroce, mais notre imagination ne peut même pas prévoir l'ingéniosité perverse de celui qui nous tient à sa merci. Dépliant avec circonspection la feuille, il la parcourt lentement. Ses yeux comme ceux d'un dragon dans un cirque lancent des flammèches de rage. Avide de vengeance, il sort son briquet, en fait jaillir la flamme, embrase la page et met cette torche jusqu'à extinction complète sous les doigts de mon amie. Elle se tord de douleur, s'évanouit.

Je rage d'autant plus que je ne peux rien faire pour elle, même pas cracher à la face du tyran pour lui manifester ma colère, ma rage.. On transporte la victime. Je m'attends à une torture non moins sadique. Ça ne va pas tarder car le bourreau s'approche de moi. Mais l'autre, qui semble son chef, s'interpose. Je ne saisis les paroles que de celui qui répond.

- ...
- Tu t'attendris maintenant. Pourquoi pas lui?

- ...
- Tu as reçu des ordres. Facile à dire.

- ...
- Je me la boucle. C'est bon! C'est bon! si tu le prends sur ce ton-là. Qu'est-ce qu'il a de spécial ton protégé?

- ...
- Ton protégé te sert d'otage, pis après?

- ...
- Si on le mutile et qu'on est pris. Ouiche!

Malgré ma position, quasi désespérée, j'ai bon espoir que l'escouade des détectives parvienne à me retrouver. On me libère de mes liens afin de me tirer les vers du nez, mais en vain. Alors commence le supplice de la faim. On laisse les mets fumants sous mon nez. Leur arôme seul m'est une torture atroce. Mon appétit atteint son maximum d'acuité. La soif surtout me brûle les entrailles. Un thé glacé suinte à travers la paroi de la tasse en verre. On rapporte le tout. Je dois mordre mon oreiller pour ne pas manifester trop bruyamment ma faim et mon besoin vital de liquide. Je ne peux même pas dormir, tellement cette double abstinence me cause des coliques. Ma montre indique une heure. J'entends un bruit de caillou. Je comprends d'instinct qu'on vient me secourir. En effet, un homme apparaît.

Lorsque je suis en sûreté, un cordon de policiers, qui s'étaient dissimulés dans les angles les plus obscurs des bâtiments voisins, encercle la maison. On défonce la porte principale et les flics surprennent les quatre ravisseurs en plein sommeil.

6

La guérison

Monsieur Yukawa fit venir ses confrères les plus compétents pour s'occuper du cas de Fleur de beauté. Une garde, en permanence, se tenait aux côtés de celle-ci. Les soins les plus appropriés furent prodigués à la malade que la folie guettait. Mis au courant de si grandes attentions, au lieu de me renfermer en moi-même, je me rendis au chevet de ma bien-aimée. Au début, elle ne s'apercevait même pas de ma présence. Je restais des journées entières à lui tenir la main, la considérais avec attendrissement. Mon regard ne pouvait se détacher de cette presque morte physiquement et mentalement. Parfois, elle ouvrait de grands yeux telle une personne éveillée, inconsciente de la réalité.

Je parlais à Fleur de beauté comme si elle me comprenait, lui rappelant les heures les plus suaves, vécues ensemble, même si son cerveau ne captait pas les ondes que le mien lui envoyait. Le fait de me tenir près d'elle, jour après jour, semaine après semaine, mois après mois me portait à réagir contre mon laisser-aller. Je reprenais goût à la vie et entretenais l'espoir que seule une volonté inébranlable pouvait obtenir le miracle de sa guérison.

Il était vingt-trois heures, j'embrassai longuement Fleur de beauté avant de la quitter. Elle s'agita violemment. Je sonnai pour appeler l'infirmière. Les convulsions devenaient de plus en plus frénétiques. On dut appeler à l'aide et lui mettre la camisole de force, mais pas pour longtemps car elle redevint calme. Les médecins trouvèrent que ce comportement subit ne pouvait être que bénéfique. Un éclair de lucidité avait lui. Qui sait, le choc annonçait probablement la guérison? Tous furent soulagés.

En effet, Fleur de beauté sortait d'une léthargie mentale et prenait peu à peu conscience. Dans ses propos incohérents, des éclaircies de réminiscences la ramenaient à la raison. J'en profitai pour lui rappeler notre première rencontre. Ce fait trop précis ne parvenait pas à son psychisme. Elle me regardait d'un air effaré essayant de mettre un nom sur cette figure qui lui rappelait quelqu'un, mais en vain. Je me nommai, mais aucune lueur ne s'alluma dans la grande évasion de son esprit.

Il s'agissait de laisser le temps faire son oeuvre. Je repris mon métier de guide. Le voyage fut la meilleure des thérapies. Je passais mes soirées libres à l'hôpital près de ma chère malade. Une fois elle balbutia quelques mots inintelligibles. Quel réconfort pour nous! Ces signes avant-coureurs laissaient croire que son intelligence retrouverait son fonctionnement normal. Un des jours les plus heureux de ma vie fut celui où me fixant d'une façon évasive, elle fronça les sourcils et dit à voix faible: «Arthur». Le contact avec la réalité reprenait. Je lui pressai la main elle fit de même. Quant au physique, grâce aux soins incessants et à la nourriture appropriée, il faisait des progrès. Les contusions, de violettes devenaient rosées; les ecchymoses, de jaunâtres passaient au blanc. La chair enveloppait ses os de squelette. La poitrine se soulevait et s'abaissait, mue par la force croissante de son coeur.

Quelle surprise, à l'une de mes visites, de la voir assise dans son lit! Comme j'aurais voulu lui servir moi-même ses repas! Quel échange silencieux n'entretenions-nous pas par le truchement des yeux? Elle semblait me dire: «Je vais guérir.» Et moi de lui répondre: «Je n'en doute aucunement.» Nos baisers fréquents lui communiquaient la vigueur de deux amours qui n'avaient rien perdu de leur feu.

Elle voulut se lever. Je la pris dans mes bras; sa douleur m'obligea à remettre dans le lit ce léger, mais si précieux fardeau. Elle revenait à la charge avec l'insistance du prisonnier qui veut franchir la porte de son cachot où il moisit depuis deux ans.

    - Arthur, Arthur.

Je comprenais le reste et lui répondais le plus tendrement possible.

    - Tu ne le peux pas encore, ma chérie, attends quelques jours.

Je ne disais pas quelques semaines, convaincu que ce serait plus véridique. Les larmes inondaient ses joues alors que son front se crispait de douleur. Maintenant, Fleur de beauté peut causer un peu, mais pas longtemps. À part cela, ma seule présence la revigore. Les jours de congé, je lui fais avaler la nourriture à la cuiller. Elle ne cesse alors de me fixer avidement, seule façon d'exprimer comment elle apprécie les marques de tendresse que je lui témoigne tout naturellement.

Sous l'effet de la morphine inoculée à toutes les quatre heures, elle ne vit pratiquement que pour dormir. Par contre, lorsqu'elle s'éveille, elle m'adresse un bonjour si plein de contentement que l'effet me chavire le coeur. Je prends ses mains dans les miennes pour lui transmettre toutes mes énergies afin de la délivrer du martyre dont le prolongement est à craindre, hélas!

La vie possède une force incroyable. Un soir, la garde m'a dit que, poussée par une volonté de retourner chez son père, l'infirmière est arrivée juste à temps pour empêcher Fleur de beauté de passer par-dessus les supports en métal fixés de chaque côté du lit. On recouvrit alors ceux-ci d'une épaisse protection capitonnée.

Tout le personnel soignant s'occupait de ma fiancée avec autant d'amour, de tendresse que si elle avait été leur soeur, ce qui me touchait beaucoup. En la changeant de position, ils prenaient d'infinies précautions pour ne pas augmenter sa douleur. Lorsque Fleur de beauté, bien malgré elle, s'impatientait au point de leur dire des paroles déplaisantes, ils s'éclipsaient comprenant l'acuité de sa souffrance.

Après de longs mois, une amélioration satisfaisante permit à la malade, soutenue par des gardes d'aller à la salle de séjour avoisinante, passer de brefs moments, question de changer d'ambiance.

Assise dans une chaise roulante, on la transporta dans un camion pour handicapé(e)s, à notre domicile. On l'aurait crue à une fête tellement elle était heureuse de se retrouver chez elle. Chaque pièce lui rappelait des moments heureux de sa jeune vie. En touchant les objets familiers, Fleur de beauté s'exclamait de satisfaction. Une sensation de bonheur s'emparait de tout son être.

Étendue dans une chaise longue, au milieu du jardinet, la convalescente fermait les yeux pour mieux emplir son intérieur du parfum des cerisiers en fleurs. Les lilas, sous la brise, l'enveloppaient de leur nuage odoriférant. Leurs touffes se balançaient comme des lanternes de beauté. Mon amie garda de cette première sortie, un souvenir touchant. L'heure du retour arrivé, elle éclata en sanglots se demandant si ce rêve allait se réaliser pour de bon et dans combien de temps? Lors de mes visites subséquentes, elle ne tarissait pas de mercis pour lui avoir procuré cette grande joie, avant-goût d'un retour définitif chez nous.

Les promenades aux abords de l'institution commencent à procurer à Fleur de beauté un peu de vitalité. Même en s'appuyant sur mon bras, elle s'épuise vite. Nous nous assoyons dans la balançoire à laquelle nous donnons un faible élan. L'un en face de l'autre, le sourire demeure le seul truchement du dialogue de nos coeurs. Ma présence constitue le meilleur remède pour celle qui s'isole dans le monde des souvenirs encore confus. Lorsque je lui en remémore quelques-uns, elle se contente d'acquiescer en certains cas, mais ne peut en évoquer elle-même.

Elle obtient un congé de fin de semaine. Quelle satisfaction de passer ces deux jours, entourée d'objets familiers! Un début de délivrance se manifeste dans son comportement. Fleur de beauté s'épanouit en regardant les objets, émet de petits cris d'admiration en marchant dans le jardinet. Cette première sortie lui fit grand bien. Huit semaines après, elle quittait définitivement l'institut de santé.

M. Yukawa nous remit suffisamment d'argent pour que je cesse de travailler et ne m'occupe plus que de sa fille. Elle et moi vivions une idylle. À mesure que son état de santé s'améliorait, nous allongions notre promenade. Nous fréquentions les maisons de thé, passant nos soirées à respirer l'air frais, à jouir du silence, à peine troublé par le clapotis d'un étang que nacrait la lune. Les rayons emperlaient l'eau.

Depuis son retour surtout, sans nous l'avouer, nous n'entretenons qu'un désir: nous donner l'un à l'autre pour la vie, dans le mariage. Après nous être dévoilé mutuellement nos intentions, nous échangeons beaucoup au sujet de la religion. Nous optons pour le culte de l'Église catholique romaine. Cela ne va pas sans une longue préparation spirituelle pour celle dont la croyance est le bouddhisme. Les prêtres missionnaires propageant le catholicisme ne manquent pas au Japon. Fleur de beauté suivit les cours préparatoires au catéchuménat. Après le laps de temps écoulé, elle fut baptisée, puis confirmée.

À l'annonce de notre résolution, les parents Yukawa ne firent aucune objection à ce que leur fille penche en faveur de ma foi. Il en fut tout autrement pour ses frères et soeurs ainsi que de la part des membres de la parenté, des amis et connaissances. On la prit à partie, la traitant, dans ce qu'on appellerait dans ma religion, d'apostate. Plusieurs l'insultèrent en public, d'autres refusèrent de la recevoir dans leur maison. On s'éloignait d'elle comme d'une pestiférée.

7

Le rival

La discothèque est bondée. Le stéréo joue à étourdir. La fumée emmitoufle de son âcre brouillard ce groupe de jeunes et d'adultes qui se trémoussent et virevoltent à croire qu'ils viennent d'être libérés de l'esclavage. Pour eux/elles, à vrai dire, quel moment de véritable délivrance! Plus de contraintes: la grande évasion, quoi! Comme ils s'en donnent à coeur joie! Ils vivent en ces instants de détente dans un monde à part. Et en avant la musique!

Je danse avec Fleur de beauté lorsqu'un inconnu s'approche et me vole cavalièrement mon tour. J'ai juste le temps de croiser le regard de l'homme qui s'est présenté.

Tout au long du trajet, un malaise transpire dans l'attitude de ma bien-aimée. Son silence prolongé me fait comprendre que je viens de compter un rival. Avant de nous coucher, elle m'embrasse du bout des lèvres, signe non équivoque d'un premier désaccord.

Ce soir-là, plusieurs heures s'écoulent avant que je ne puisse fermer l'oeil. Un sentiment étrange me porte à revivre cet instant où je fus mis par hasard en présence de celui dont j'ignore même le nom. De son côté, ma fiancée, les prunelles dilatées par le souvenir, conserve, c'est visible, de ce moment une impression indicible. La coupe enchantée du bonheur s'écarte déjà des lèvres de nos coeurs.

Nous respectons notre serment de fidélité; toutefois, rien n'est plus délicat que l'amour. Par intuition, je saisis qu'une faille vient de mordre le cristal de notre tendresse. Il faut, pour ne pas que le vase s'émiette, éviter à tout prix une rencontre entre eux. C'est tout simplement la lutte pour la vie imposant sa loi inéluctable; l'important reste de ne pas être vaincu.

Une explication devient péremptoire. J'adore tellement Fleur de beauté que ma confiance en elle me suggère d'attendre, dans une angoisse lancinante, qu'elle fasse les premiers pas. Le désaccord qui se glisse entre nous prend des proportions dramatiques. Nous pensons tous deux, d'après notre comportement, au même résultat sans oser nous l'avouer. Un pas est franchi vers la froideur qui menace de nous éloigner de plus en plus par crainte de précipiter la séparation. Ma compagne préfère s'enfermer dans le mutisme. Nous avons si peu d'expérience des vicissitudes de l'amour que croire au malheur demeure impensable.

Le lendemain, Fleur de beauté m'avoue: «J'ai une envie folle d'aller au cinéma.» Un baiser flasque me signifie que point n'est besoin de l'accompagner; d'ailleurs, je n'en éprouve pas la force morale, certain qu'elle me quitte pour retrouver l'autre. Pourquoi? Que lui ai-je fait? Il a suffi de cette présence pour que, du même coup, mes espoirs d'une vie heureuse soient brisés. Vouloir la retenir par des moyens tous plus astucieux les uns que les autres ne ferait qu'ajourner la rupture ou envenimer nos relations futures en cas d'entente mutuelle à coups de bonne volonté. L'amour transporte toujours avec lui son arc et son carquois.

Une seule solution possible reste à envisager: prendre mon mal en patience. Certaines situations dans la vie demeurent inéluctables. À peine les premières gorgées du nectar d'un enivrement éperdu ont-elles commencé à inoculer en mon être une ivresse ineffable, qu'il me faut y renoncer, momentanément du moins, je voudrais en avoir la certitude, à m'en abreuver.

Quelle puissance au-dessus de mon vouloir et de mon pouvoir, me pousse à la discothèque alors que je sais les retrouver ensemble? La lâcheté triomphe de la fierté. On ne peut descendre plus bas! La seule explication: la souffrance intolérable de la jalousie aliène mon coeur.

J'observe cet homme lorsqu'il danse avec ma fiancée. Quel effluve de paradis se dégage de leurs êtres! Encore trop étrangers l'un à l'autre, ils ne se parlent que par le regard. Avec quelle délectation, il noie son bonheur dans ce double lac mordoré des prunelles, le couvrant de tendresse! Entre ses bras, elle semble une marionnette qu'il manie avec facilité. Légère, sémillante, Fleur de beauté évolue avec la grâce d'une hirondelle parafant l'azur. Par contre, dans la spirale d'une danse vive, elle s'anime à tel point qu'on la croirait possédée. Ce dédoublement fascine son compagnon. Il s'émerveille de la voir tantôt alerte, et l'instant d'après des plus langoureuse. L'art de la danse n'a rien perdu de son envoûtement.

Quelle ne fut pas ma surprise lorsque, dans l'intimité de l'oreiller, Fleur de beauté m'avoue ingénument:

- Arthur, j'ai une proposition à te soumettre.

- Ah!

- Je veux demeurer en bons termes avec Jérôme et toi. Il m'a dit de te rassurer, il ne vient pas te supplanter.

Je tourne la tête et m'enfonce dans un silence de victime qu'on bafoue. À mon réveil, Fleur de beauté appuie sa joue sur ma poitrine nue et plonge son regard dans le mien avec toute la supplication dont est dotée une femme de sa race. J'ai le courage de résister.

- Je veux bien qu'on s'intéresse à ma personne, mais je n'entends pas qu'on me dérobe ce que j'ai de plus cher.

Sa philosophie orientale lui dicte cette réponse désarmante à mon point de vue.

68

- J'approuve ton attitude, mais il faut prendre les gens tels qu'ils sont, et accepter les événements tels qu'ils se présentent, non de la façon qu'on souhaite qu'ils se produisent.

- Alors, laisse tomber. Nous nous sommes connus, c'est déjà plus que je n'aurais espéré. Si nous devons partager le bien le plus précieux, le monde de l'amitié, avec une tierce personne, au lieu de souffrir doublement: l'un s'attristant de la perte de l'autre, au moins chacun, chacune de son côté supportera son lot de misères.

- Tu crois que je vais abandonner la partie? Au contraire, l'enjeu vaut la peine que je me jette désespérément dans la lutte. Je ne t'adore pas moins, Arthur, tu ne sembles pas le croire.

- En vérité, disons que pour moi, c'est impensable de me lancer dans une telle aventure amoureuse. Rappelle-toi la leçon à tirer de la fable de La Fontaine dont je t'ai parlé: «Il ne faut pas courir deux lièvres à la fois.» Prends bien garde de t'aliéner et ton ami et ton amant en voulant les amadouer tous deux.

- Ah! Je sais tu vas me servir la réflexion de Pascal: «Le coeur a ses raisons que la raison ne connaît point.»

- Je préfère en cette matière me référer à ce génie incarnant la sagesse, qu'au jugement d'une novice dans l'art de l'amour et qui voudrait simplifier, pour les besoins de la cause, des choses complexes au possible parce qu'elles sont justement du domaine affectif. Il ne s'agit pas de querelle, mais de lucidité. Si nous avons à nous quitter définitivement, que ce soit au moins dans un esprit d'estime mutuelle.

Elle s'avança vers moi, tendant sa bouche comme une coupe où je versai jusqu'à la lie le vin de mon amour déçu. Je ne pouvais me détacher d'elle. Je sentais qu'au moment où je devrais le faire, mon âme serait amputée de moitié. Un sursaut amoureux nous retint longtemps enlacés.

Le plus faible, comme le plus ému visiblement, c'était moi. Mes joues ruisselaient. Alors que je manifestais d'une façon si tangible le supplice que m'imposait la situation, toute sa tendresse passait dans sa voix qui se fit divinement douce, témoignant d'une maîtrise parfaite d'elle-même.

- Allons, Arthur, à supposer même que nous ne nous rencontrions plus, ce dont je doute fort, nos pensées, elles, ne cesseront jamais de s'unir. Cette amitié, née de nous, tel un enfant que la mère porte en elle, nous suivra partout et toujours.

Je n'en pouvais plus. Je me séparai d'elle brusquement comme brûlé au fer rouge et, sans me retourner, je la sentais me suivre de son regard attristé. J'errai comme un insensé, sans but, revenant même parfois sur mes pas. Je ressemblais à un incendié qui ne peut, en fuyant, éteindre les flammes qui embrasent ses vêtements. J'éprouvais dans tout son implacable martyre les affres de l'au revoir éternel. Fleur de beauté, je la voyais dans tous les visages que je rencontrais; je l'entendais dans toutes les voix autour de moi; je dialoguais même avec elle en parlant tout haut. Parfois, j'imaginais que j'allais la chercher pour une promenade dans les endroits connus où, main dans la main, nos deux coeurs battaient au rythme d'une égale béatitude. Je passai près d'un parc. Machinalement, je cherchai un banc. Je ne pouvais marcher plus longtemps, sans m'effondrer dans la rue ou sur le trottoir, ployant sous le poids moral qui m'écrasait de plus en plus. Je m'étendis de tout mon long sur les planches et là, comme dans un cercueil, je demeurai étranger à tout ce qui se passait autour de moi. Pendant que je cuvais ainsi ma douleur, comme sous l'effet d'un anesthésique, je m'endormis. Le rêve, lui, moins cruel que la réalité, me jeta de nouveau dans les bras de mon amour.

À mon réveil, il faisait nuit ou presque, car la lune brillait d'un tel éclat qu'on se serait cru au crépuscule. Je regardai ma montre; deux heures trente minutes. La température, plutôt chaude, m'avait permis de coucher à la belle étoile. Le sommeil au grand air et la marche après ce songe de paradis où je me revis en compagnie de celle que je venais de quitter pour toujours finirent par me revigorer. Je cheminais d'un pas alerte, envisageant d'une façon plus lucide la décision que je devais prendre. J'essayais de me convaincre que Fleur de beauté n'avait fait que passer dans ma vie, pareille à un astre errant dont l'éclat étincelant éblouit un instant la vue, mais qui s'éteint aussitôt continuant sa route dans l'infini. J'étais bien décidé à renouer les relations les plus chaleureuses avec elle.

Quel bourreau que l'amour! Il se plaît, non pas à nous décapiter, mais à nous maintenir dans une agonie lancinante. Plus je multipliais les efforts pour effacer les traces de cette passion importune, plus les ornières de sa nostalgie se creusaient dans mon coeur, m'enlisant au sein de son amertume.

À la longue, la situation se détériore assez sérieusement. Malheureusement, un masochisme latent m'attache à mon amie. Je me reproche en mon for intérieur cette trahison envers moi-même que j'aurais condamnée chez un autre, mais une force plus intempestive m'attache à elle comme un lierre qui grimpe, agrippe ses crampons aux lézardes des murs.

Un autre aspect de la personnalité de mon amie perce davantage de jour en jour. Elle ne peut choisir épée plus tranchante: elle m'ignore. Au début, elle s'intéressait à mes poèmes, mon travail à titre de guide touristique. Depuis quelque temps, mes occupations ne semblent plus la toucher.

Je fais des efforts ultimes pour ne pas continuer une amitié qui s'est muée en incompréhension. Mon premier geste fut de prendre ses photos que je garde comme des porte-bonheur, ainsi que celles qui me servent de présence permanente sur les murs de ma chambre et les faire disparaître. Le courage de les déchirer me manque. Je croirais commettre un sacrilège. Tous les souvenirs que je possède venant d'elle et qui pavoisent mes meubles sont comme autant de coups de poignard lorsque mes yeux se posent sur eux. Je mets une date sur chacun de ces bibelots, je revis les moments exquis où je les recevais de sa main que je comblais de baisers.

Incessamment, je m'enfonce dans ma douleur. Je me répète à satiété ce vers de Lamartine: «Le soleil des vivants n'éclaire plus les morts.» Même mon agonie m'est chère car elle me vient d'elle. Jamais je n'ai vécu plus intimement lié à Fleur de beauté.

Ainsi qu'un aliéné pose des gestes qu'il aurait répudiés avant sa maladie, quelques semaines ont suffi pour déranger mon système affectif. Je passe de l'attachement le plus tendre à la rage la plus incontrôlable. Je voudrais la fustiger à coups d'injures. Ne suis-je point dans un cas de légitime défense? Sa volte-face sentimentale m'a porté le coup crucial. Par respect de ma propre existence, ne dois-je pas riposter? Je suis hanté par cette idée du duel moral qui aurait assouvi ma vengeance car j'en suis arrivé à cette conclusion: lui remettre en tracasseries tout ce qu'elle m'a apporté en injustices. Ma méchanceté contre sa cruauté. Mon ressentiment en retour de son abandon. Mon amour prend une autre forme: la haine.

En dépit de la situation désespérée où je me suis mis avec la meilleure intention du monde, je ne veux pas croire encore à une séparation définitive pas plus que le naufragé ne se résout à s'enliser dans les flots ou que le cancéreux n'accepte sa mort latente. Elle va me revenir; ce n'est pas possible qu'une personne, en qui je plaçais une confiance inébranlable, couve en elle tant de fourberie comme si un visage d'ange pouvait masquer une perversité de démon.

Les semaines, les mois s'écoulent. Ma sensibilité est écorchée vive et pourtant, je m'efforce d'enfoncer au plus profond de moi-même une aversion qui veut me prouver que je déteste celle qui me crucifie. Je m'évertue à la noircir le plus possible, à balafrer son image dans mon souvenir hanté par ce que j'avais vécu de plus merveilleux en sa compagnie. L'antipathie ressemble au phénomène de la noyade; après un certain temps, ce qu'on voudrait abîmer remonte à la surface.

Seule la poésie devient ma planche de salut. Elle me tient lieu de journal intime où l'on épanche tout le fiel de sa désespérance comme on peut aussi verser en lui le nard de sa foi en des jours paradisiaques. Je transforme ma douleur en des vers fondus au brasier de l'espérance.

ELLE ÉTAIT BLANCHE MA COLOMBE
Elle était blanche ma colombe,
je l'ai vue toute rouge;
tel un coeur poignardé
par une main adorée.
Elle était douce ma colombe,
une caresse sur de la soie;
je l'ai vue hérissée
dans sa lutte contre un épervier.
Elle était gaie ma colombe,
tout un firmament de soleil;
je l'ai vue palpitante de peine
dans l'exil où l'émigra la haine.
Elle était libre ma colombe,
comme un bohème qui vit de chansons;
je l'ai vue ficelée dans les rets
d'une agonie criblée de plombs.
Elle était pleine de vie ma colombe,
plus qu'un sourire d'enfant;
je l'ai vue roide de tourments
ses ailes à jamais momifiées.
Qui l'a mise en cet état ma colombe?
Un drame resté inédit
pour celle qui l'ayant chérie
lui préféra un noir corbeau.

Ainsi qu'un lépreux qui, dans son incurable chancre gratterait les ecchymoses de sa lente désagrégation, pour me damner davantage, je prends plaisir à voir défiler devant mon existence de paria les phases d'un jour parvenu à son déclin.

AMITIÉ DE SOUVENIRS
Mon amour, soleil d'admiration,
a fusé d'un seul jet d'éblouissement,
quand pour la première fois,
tu doras mon firmament.
Je me délectai de toi,
comme on s'enivre d'extase
lorsque tout le ciel du bonheur
de son magnétisme embrase.
Mon amitié charma chacun des jours
où je savais que, fidèle

tu m'entourais d'une tendresse
plus suave qu'un frais baume d'asphodèle.
La femme en ce temps de liesse
divinisait mon existence,
tout me devenait sourire
même en l'éclipse de ta présence.
Plus fragile qu'une bulle
faite d'un cristal d'arc-en-ciel,
ton attachement ne dura
qu'une fête de carrousel.
Amitié de souvenirs,
papillon aux ailes brûlées,
j'ai mis mon âme en cendres
pour t'avoir trop implorée.

Même au sein de mes lugubres pensées, je ne rejette pas tout le blâme sur Fleur de beauté. J'apprends, au cours de mes sombres et interminables réflexions, à user davantage de partialité. Je me suis trop approché du feu et je suis la proie des flammes amoureuses qui me consument. L'attitude défensive de mon amie s'explique par la sauvegarde de sa propre sécurité. Plus lucide que moi, elle en profite pour se montrer aussi imprudente, confiante que ses sentiments envers moi lui permettront de s'en tirer à temps. Elle atteint à une maîtrise et une indépendance qui la maintiennent en deçà des bornes. Le plus grand reproche que je puisse lui adresser c'est que, justement, sûre d'elle-même, elle se méprend sur la séduction innée émanant de son être.

Après notre rupture, acculé à l'idée fixe de ne plus la revoir ou de communiquer d'une autre façon, je m'efforce de prendre stoïquement le fait. Ma raison me convainc peu à peu qu'ayant commis une erreur, je dois payer en proportion de ma culpabilité ce qui signifie, en l'occurrence, l'adieu. Ce mot est le plus douloureux de la langue française. Toute comparaison demeure injuste dans ce domaine. Apercevoir un fruit juteux devant soi et ne pouvoir le porter à sa bouche alors que la faim nous tyrannise. Tenir dans le creux de sa main une eau fraîche qui sourd d'une source des montagnes et se sentir impuissant à tremper ses lèvres plus brûlantes que les dunes du Sahara; avoir à sa portée la fiole contenant le remède pouvant apaiser le volcan qui embrase ses entrailles et se sentir trop faible pour la saisir; Adieu! Rançon pire que la privation à vie de sa liberté alors qu'une sentence nous condamne à moisir dans un cachot infect et nous enchaîne perpétuellement comme une bête de somme à un travail écrasant. Ces métaphores peignent bien mon tourment intérieur.

Que faire devant l'irrémédiable? La plus grande sagesse est de s'y soumettre sans condition, gardant au coeur un reste d'espoir qui ne s'éteint jamais. Certes, un jour, je m'en sortirai avec l'aide de l'Être supérieur, si je suis croyant. Perdu dans le désert de ma solitude, je m'évertue à profiter de l'oasis que je finis par atteindre, non pas en mirage seulement. Je me donne d'abord comme loi primordiale de chasser de mon esprit la pensée de Fleur de beauté. Dès qu'elle m'effleure, comme une tentation, je songe à d'autres personnes qui me chérissent ou bien je me livre à une occupation captivante. Le coeur est le dernier atome à contenir la vie en nous. Lorsqu'un sentiment de retour me transporte au paradis de délices où j'ai déjà séjourné, je prie ou je me projette dans l'avenir pour fuir comme un remords cet instant de défaillance. L'important est que je ne flanche pas. On a amputé les quatre membres intérieurs de mon être: l'amour, l'amitié, l'attachement, le souvenir et je résiste toujours à l'appel du désespoir. Le pire de tout cela est que je porte au plus profond de moi-même un cadavre telle une mère qui vit quelque temps avec un enfant mort-né.

Si j'avais supprimé Fleur de beauté, même en prison, j'aurais eu la cynique consolation de me dire: «Elle n'est plus, elle n'appartient à personne et aucun autre homme ne peut me remplacer.» Consolé par cette vengeance, la réclusion à vie la plus inhumaine n'aurait pas été une expiation suffisante. Mon sort était pire, à force d'exaspération, dans mon coeur j'ai tué mon amie que j'adorais et je la savais bien vivante, très heureuse probablement. Cet homicide, aucun tribunal ne pouvait m'en demander justice et exiger une réparation, la plus pénible jamais inventée. C'est ce qui me détruisait à chaque instant.

Mon coeur voudrait se presser contre le sien pour le faire battre au rythme affolé de mon désir inassouvi. Mon ennui ressemble à une lanterne dont la flamme serait noire. Dans ma nuit, j'entends un écho pareil au vol des chauves-souris. La mort de ma vie s'éternise. J'habite un château de fantasmes où mes bonheurs me retiennent captif entre des murs gluants, suicidaires. Je suis triste de ma joie et banni parce que vivant de son souvenir.

Ô Fleur de beauté, ma liberté, en moi je t'épouse sans cesse! Plus nous sommes séparés, plus tu illumines la brume de mes rêves d'idéal. T'enfermer avec moi dans ma geôle intime afin que j'y meure de ne pouvoir jamais t'appartenir! Cette affection me tue moins que la souffrance de sentir toutes les ondes de mon être en interférence avec ton magnétisme. Le cosmos a fait se rencontrer nos destinées pour les catapulter aux antipodes. Mon univers est constitué de galaxies inaccessibles. Tu ne m'apparais que dans la pénombre d'une silhouette insaisissable, femme impossible, adoration.

À l'arbre de mon âme demeurent suspendues toutes les fleurs givrées de mes espoirs déçus. Je reste un cloître vide où résonnent encore les sandales des moines, dans la paix de l'aurore.

Mon âme a pleuré toutes les larmes de la rosée depuis qu'est partie de mon coeur celle que j'ai chérie. Mon coeur a clos toutes les corolles depuis que ses paroles ne font entendre que leur écho. Je me suis soûlé de tous les parfums exhalés, pour oublier celle qui m'est devenue étrangère dans ma propre maison. J'ai voulu noyer mon agonie, mais la mer de ma douleur s'est tarie, absorbée par la profondeur de mon inextinguible tourment.

8

Solitude

Je suis étendu sur une chaise longue, au bord d'un étang artificiel. La somnolence m'envahit. Une figure chère se présente à mon imagination, Jeanne. Je la revois comme si elle s'était matérialisée. Je me rappelle les principales phases de nos fréquentations: ses manigances pour s'attacher à moi, mon refus, notre ascension du Fuji-Yama, notre conversation nocturne dans le jardin d'une maison de thé, son accident, mon assiduité à son chevet durant sa convalescence, son départ pour Montréal, l'oubli. Pourquoi son souvenir ressuscite-t-il à cet instant même où je me sens seul au pays de Fleur de beauté? Cette coïncidence me suggère de lui écrire et de me confier à elle en toute vérité.

Le lendemain, la vision me poursuit. Je me garde bien de la chasser. Il s'agit toutefois d'être lucide. Avant son retour au Québec, je lui avais juré que je n'utiliserais pas son adresse inscrite dans nos fichiers. Vais-je manquer à la parole donnée? Par contre, les circonstances changent tout. Non seulement il ne s'agit plus qu'elle s'interpose entre la Japonaise et moi, mais bien de combler le vide laissé par cette infidèle.

Une question se pose. Jeanne acceptera-t-elle de jouer le rôle de suppléante? Sa fierté ne s'insurgera-t-elle pas devant pareille proposition? Si j'échouais, ne me la mettrais-je pas à dos définitivement? Les deux possibilités doivent être envisagées: me détruire moralement en pays étranger ou mettre la chance de mon côté et combler la solitude où je croupis. Il s'agit de jouer le tout pour le tout. Je lui écris.

Chère Jeanne,

J'imagine ton étonnement à la réception d'une lettre venant de celui qui ne doit plus te donner signe de vie. Après l'avoir lue, je suis persuadé que tu comprendras pourquoi j'ai rompu ma promesse de ne pas te relancer.

Je serai concis car je sais que tu peux lire entre les lignes. Fleur de beauté, ce qui s'avérait impensable, m'a trompé; elle vit avec un autre. Nous ne nous sommes pas disputés, le fait s'est produit tout bêtement. Pendant que je danse avec elle, un type me tape sur l'épaule me demandant de lui céder son tour comme cela se fait en pareille circonstance. Ce qui se passe entre eux, je le devine, mais ne peux me l'expliquer.

Je me mets à ta place. Suite à une telle volte-face tu te dis: «Arthur est trahi, à moi de me sacrifier pour combler l'éloignement dans sa vie amoureuse.» Je ne te blâme aucunement de conclure ainsi car les circonstances invitent à penser de la sorte. Le motif qui m'a porté à recourir à toi va te paraître plus farfelu, mais je te le livre en toute simplicité. Il te portera, je l'espère, à prêter une oreille attentive à ma requête et à y répondre positivement.

Après les angoisses d'une telle trahison, je me sens plongé dans un demi-sommeil que ton visage envahit.

Je vois là un signe: tout révéler à Jeanne. La seule marque d'estime que je te demande est de me répondre. Que penses-tu de mes élucubrations? Je m'arrête pour ne pas dépasser les bornes que je me suis fixées: m'en tenir à la révélation des péripéties de la situation.

Arthur

Dans un délai raisonnable, je reçois un pli de Montréal.

Cher toi,

Tu es chanceux, je m'apprête à déménager. Si tu projettes de m'écrire, je t'envoie mon adresse et mon numéro de téléphone. Tu n'as pas oublié ma profession. De plus, j'ai reçu ma maîtrise en psychologie. Des cas comme le tien sont monnaie courante dans mon domaine. Je te remercie de ta confiance et m'explique aisément ton recours à celle qui garde un excellent souvenir de nos relations amicales, même si tous deux nous devions souffrir, moi surtout, d'envisager un amour impossible qui le demeure toujours.

Mes études me portent à te donner ce conseil: Attends que ton supplice diminue peu à peu et qui sait, une autre demoiselle Butterfly surgira-t-elle comme par enchantement dans ta vie? Surtout, envoie beaucoup d'ondes positives dans ce sens. Cette disposition fait des miracles parfois.

Mon coeur saigne depuis notre séparation et ne demande pas mieux non pas de succéder à Fleur de beauté, mais de vivre avec celui qui m'a permis de faire un beau rêve, mais sans lendemain.

Il faut tenir compte absolument du point de vue pratique. Je ne vais pas quitter un emploi que j'adore et qui pourvoit amplement à ma subsistance pour m'exiler au Japon définitivement. Quant à la prévision de revenir au pays en feras-tu allusion si jamais tu te décides à continuer ta correspondance? Dans la présente, tu ne m'annonces que ta déception.

Jeanne

Je lis et relis cette dépêche, scrutant chaque idée. D'abord, elle ne m'a pas oublié, disposition encourageante. Elle reconnaît que j'ai laissé une bonne impression. Quant à la constatation que notre amour demeure irréalisable, cela ne doit pas me surprendre vu le peu de détails que je lui donne au sujet de mes intentions. Au fond d'elle-même, elle avoue me chérir, mais pas au point de tout abandonner; elle ne quitterait pas une profession qui la libère des tracas financiers pour risquer de vivre misérablement dans un pays dont elle ne connaît pas la langue et où actuellement il demeure illusoire d'enseigner la psychologie.

Je trouve les motifs évoqués bien acceptables car ils viennent d'une personne prudente, pondérée, très intelligente et d'un discernement sûr. D'une façon indirecte, elle me donne tout de même une lueur d'encouragement, car elle accepte que je continue cet échange épistolaire afin d'élucider mes propos au sujet de nos relations amicales ou mieux, amoureuses.

J'ai réveillé des souvenirs dans son esprit et dans son coeur; à moi de les faire servir graduellement à mon avantage et au sien. Un amour qui couve sous la cendre s'embrase facilement, il suffit d'y insuffler l'étincelle du désir.

Il me reste cette alternative: ou bien remplacer l'infidèle par une autre Japonaise, car je ne me sens pas du tout vocation de célibataire, idée illusoire peut-être? Ou encore, mettre en avant tous les atouts pour convaincre Jeanne de venir me retrouver, ce qui également implique le mariage. Entre les deux situations, la seconde répondrait davantage à mon projet.

Le Japon, mon pays adoptif, comble mon idée de beauté. Son climat me plaît merveilleusement. J'adore mon travail. Jeanne a gardé une excellente impression de son séjour, ici. Mais pour elle, s'acclimater s'avère un changement radical dans sa façon de vivre. Très conscient de ce que comporterait cet exil, une intuition me pousse à tenter ma chance. Je prends le temps d'examiner la question sous tous ses angles. Ma force de conviction dépendra de ma franchise et des probabilités de bonheur concernant son avenir et le mien.

Très chère Jeanne,

Tu as droit à de plus amples informations après l'annonce des événements qui viennent de perturber ma vie sentimentale; d'autant plus que ta réponse très lucide m'encourage à ne pas désespérer.

Je t'avoue franchement que je ne suis pas prêt à quitter le Pays du Soleil levant. La blessure trop récente m'enlève tout courage de mettre à exécution cette perspective qui serait peut-être la meilleure guérison au mal que me fait endurer la pire des agonies.

Crois-moi si tu le veux, j'ai envisagé, malgré les excellentes raisons évoquées, que tu viendrais me rejoindre, la condition majeure étant réglée, du moins fort probablement. Je m'explique. À Tokyo, une école internationale est ouverte pour les étrangers autant que les Japonais. Y sont représentées soixante nationalités. L'enseignement se donne en anglais. Ils accepteraient qu'un cours de psychologie soit dispensé dans leur institution. Les membres de cet

Institut viennent de la région de Québec et une Montréalaise serait doublement bienvenue.

Étant sur place, excellente occasion pour toi d'apprendre assez de japonais pour te débrouiller dans cette tour de Babel de langues. Que penses-tu du flair d'Arthur pour préparer le terrain? Entendons-nous bien, ce n'est pas pour demain. Prends le temps qu'il faut pour mûrir le projet, mais accepte, je serais au paradis.

Indéfectiblement,
Arthur

Cher toi,
Tu ne démords pas facilement lorsque tu entreprends d'arriver à tes fins pour le bien de nous deux, évidemment. Ne prends pas ce compliment pour un oui à ce que tu espères de moi. Je ne te cache pas toutefois que ta suggestion m'a fait beaucoup rêver. J'ai revécu mon séjour au Japon. J'ai vidé mes tiroirs pour retrouver les nombreuses photos, plusieurs prises à ton insu. Je te l'avoue, tu m'as séduite au premier abord. Dans ma folle attraction, j'étais bien plus occupée à te regarder qu'à contempler les sites que tu nous décrivais avec tant de verve que je voyais ton aura. J'étais hypnotisée pas tes yeux pers. Aucune prairie, même la plus éblouissante, aucun ciel du plus bel azur ne m'intéressaient davantage que l'éclat de ton regard se posant parfois sur ma figure. Je me dissimulais quelque peu derrière un touriste pour t'admirer, éprouvant une extase qui se répandait dans tout mon être.

Tes cheveux, d'une ébène rutilante, formaient un panache ondulé te couvrant le cou. Ton visage bronzé te donnait un air de dieu grec. Ta voix chantait dans mon oreille la plus belle romance d'amour lorsque tu expliquais les splendeurs ou les coutumes du Japon. Magnifique de taille, tu possédais le charme de l'adolescent et l'emprise de l'homme sûr de lui-même.

Les rares instants où j'eus la chance d'être seule avec toi comptent parmi les plus exaltants de mon existence. Ta réserve me portait à te désirer sans retenue. Ce qui me troublait davantage, ta tendresse innée. Ton amitié produisait l'effet d'un amour épanouissant que modérait une maîtrise de soi rare dans les circonstances. Lorsque je m'appuyais sur ton épaule, lors de l'ascension du Fuji-Yama, j'éprouvais la délectation d'une douceur qui m'emmitouflait. Ta main sous mon bras inoculait dans mon coeur une sérénité que je n'ai goûtée qu'une fois dans ma vie.

Tes attentions pendant ma convalescence chez toi me valaient une panacée. Je désirais ne jamais guérir. Ton absence me plongeait dans une léthargie qui dépasse tout ce qu'on pourrait imaginer.

Je n'en voulais pas à Fleur de beauté, elle s'est montrée magnanime durant ces jours de réclusion, mais je l'enviais d'être ton amante au point que j'endurais un mal à l'âme qui n'en finissait plus de me torturer.

Au risque de blesser ton humilité, je ne te rapporterai pas toutes les réflexions des femmes qui faisaient partie du voyage. Je ne t'en citerai que quelques-unes. «Quel joli guide, dommage que je passe si peu de temps avec lui!» «Mais il est beau rare et il ferait des ravages dans mon ménage si je n'étais pas mariée depuis trente et un ans!» «Il doit en avoir une kyrielle d'admiratrices dans le métier qu'il pratique!» Une farceuse ajoutait: «Cela doit être fatiguant d'avoir tant d'attraits!» Je te laisse deviner le reste. Et tu m'offres d'aller vivre avec toi!

Qu'arriverait-il de nous si jamais la flamme de Fleur de beauté renaissait de ses cendres et embrasait à nouveau ton coeur? Tout devient possible en amour et des circonstances imprévisibles peuvent parfois changer le cours de notre destinée. Je n'ose continuer, cher ami, car j'ai peur de perdre la tête une seconde fois en ce qui concerne notre attirance réciproque. Ces révélations ont pour but de prévoir les conséquences bénéfiques ou catastrophiques de notre liaison. Je déciderai après de la conduite appropriée. Il faut garder la tête froide lorsque le coeur est si chaud!...

Tendrement,

Jeanne

N.B. «Donne-moi l'adresse de l'école internationale dont la direction serait disposée, d'après toi, à ce que j'enseigne dans leur «college»; je leur enverrai mon curriculum vitae. Cette démarche ne m'engage nullement à te confirmer mon adhésion à l'incitation que tu fais miroiter aux yeux de mon coeur.» J.B.

Fleur de beauté voyant que je me remettais plutôt rapidement du choc qu'elle m'avait causé, se doute de quelque chose. Elle croit probablement que j'ai fait une nouvelle connaissance avec une des personnes du sexe féminin dont je suis le guide touristique. Elle flaire une aventure à l'instar de celle vécue avec Jeanne. Même si cela se produisait de quoi se mêlerait-elle? Elle mène sa vie comme elle l'entend et moi de même.

Toutefois, le comportement de mon ex-fiancée devient de plus en plus bizarre. Elle passe seule devant ma maison, surtout aux heures où je prends le frais dehors, après le souper. Au début, elle se contente de me saluer de la tête, puis les fois suivantes, elle m'adresse quelques mots. Enfin, en d'autres occasions, elle s'arrête de courts instants dans l'intention probable que je l'invite à s'asseoir, mais en vain. S'offusque-t-elle de mon indifférence? Le pressentiment qui me porte à le croire me convainc que je suis espionné par la femme qui conduit l'autobus au cours de mes fonctions. Raison de plus pour montrer à Fleur de beauté que ses allées et venues, supposément fortuites, devant mon logis, m'importunent. Je reste à l'intérieur les heures où il lui prend envie de donner suite à son manège.

Quelle ne fut pas ma surprise lorsqu'un jour, pénétrant chez moi elle m'annonce avec une pointe de satisfaction dans la voix:

- Excuse-moi, Arthur, une lettre, qui t'est adressée, s'est égarée et on me l'a remise, connaissant nos anciennes relations.

Lisant l'adresse, je pâlis. Elle vient de Jeanne. La porteuse reste là, plantée devant moi examinant sur ma figure les réactions que cette malencontreuse erreur me cause.

- Je te remercie.

Elle ne s'en va toujours pas.

- Au revoir, Fleur de beauté.

Elle comprend, sourit narquoisement et, me faisant une profonde révérence, se retire.

Toutes sortes d'hypothèses germent dans ma tête. A-t-elle soudoyé le facteur? Intercepterait-elle ma correspondance? Est-ce la première missive qu'on lui transmet? J'examinai attentivement le pli, il n'avait pas été ouvert, Jeanne prenant la précaution de mettre du papier collant à l'endroit où l'on scelle.

Cet incident me prouve que mon ancienne fiancée entretient un reste de jalousie, preuve indubitable que je ne lui suis pas indifférent. Ou bien, elle m'empêche d'être heureux en n'acceptant pas que je me trouve une autre amante.

Jeanne, à tout prix, ne doit pas être au courant de l'événement. Un indice révélateur m'angoisse. Dans le coin gauche de l'enveloppe, ma correspondante prend la précaution d'écrire son adresse. Fleur de beauté a-t-elle copié ce renseignement dans le but de me nuire à l'occasion? Je suis dans tous mes états.

Dans la lettre qui me parvient, Jeanne m'annonce qu'elle a reçu la réponse de l'école dont je lui avais parlé. Celle-ci l'accepte comme professeure au début de la prochaine année scolaire. Cette nouvelle, au lieu de me réjouir, me cause de l'anxiété. Si Fleur de beauté se tourne contre nous et décide de prendre la ligne dure, nous serons impuissants à lui tenir tête. Dans son pays, elle dispose de moyens que nous ne pourrons jamais contrer. Ira-t-elle jusque-là? J'en doute. D'autre part, rien ne freine la jalousie.

Il existe de ces êtres malfaisants qui mettent tout en oeuvre pour que la personne qu'ils ont déjà adorée et qu'ils chérissent toujours, ne s'épanouisse pas. Autant ils l'ont admirée dans la même proportion, ils s'ingénient à la frustrer, à l'avilir, à la démolir. Ils en ont fait leur possession et ils veulent la punir d'avoir perdu leur estime.

La jalousie, passion rendant plus malheureux celui qui l'exerce que la victime sur qui elle s'abat, est un mal qui gruge les volontés affaiblies lesquelles ont perdu la fierté d'elles-mêmes. Noyés dans leur propre déchéance, les jaloux voudraient entraîner leur proie dans l'abîme d'angoisse où ils se plongent.

82

Vertige qui s'accroît avec la passion de nuire. Sentiment de haine entretenu envers autrui alors qu'il possède des avantages qui nous font défaut.

Le jaloux préfère crever dans son âme plutôt que d'admettre ses torts. S'il se trouvait un asile pour enfermer ceux et celles qui sont atteints de cette maladie, il faudrait agrandir cette institution chaque jour. La jalousie, malheur infernal, pousse la méchanceté humaine à ses ultimes frontières et creuse une tombe où l'on se vautre dans la pourriture de l'acharnement.

«Les maux les plus cruels ne sont que des chansons
Près de ceux qu'aux maris cause la jalousie».

La jalousie devient l'amour-propre en actes. On compte des tempéraments possessifs comme on rencontre des natures altruistes. «La jalousie, n'est qu'un sot enfant de l'orgueil, ou c'est la maladie d'un fou.» (Beaumarchais). La jalousie se nourrit de tout ce qui valorise les autres, c'est l'attaque la plus perfide à la dignité de la personne humaine. L'envie est la soeur jumelle de la jalousie; elles appartiennent toutes les deux à la famille de l'abjection. La jalousie renferme une hypocrisie: le soupçon. On ne veut pas se croire jaloux de peur de se faire horreur. La jalousie affiche un air condescendant pour mieux lancer son venin de vipère.

Je suis devant un dilemme: tout avouer à l'une ou à l'autre. Après avoir mûrement réfléchi, je crois bon d'attendrir Fleur de beauté en l'accompagnant quelquefois.

Fleur de beauté passe devant mon jardin. Nous nous saluons. Je l'invite à prendre le thé. Elle accepte avec empressement, ce qui me paraît de mauvais augure. Nous gardons un silence gênant, puis mon hôtesse lance à brûle-pourpoint.

- Arthur, j'ai quitté mon mari.

Elle me regarde d'un air qui me fait frissonner.

Je la prends dans mes bras et la serre très fort pour lui prouver ma sympathie. Quel magnétisme opère à ce moment même! Je revis dans cet instant toute l'ivresse que j'ai savourée durant mon séjour ici, en compagnie de celle qui m'a enchaîné corps et coeur. Ses yeux se remplissent de larmes, elle appuie la tête sur mon épaule pour trouver l'oreiller auquel on abandonne le plus cuisant chagrin. Elle tremble d'effroi et enveloppe son corps du mien. Les mots ne sortent pas, elle se contente de me jeter un regard langoureux et suppliant.

- Ma chérie, tu as bien fait de me confier le tourment qui te ronge. Je resterai toujours ton ami intime. Ne désespère pas, tu trouveras quelqu'un qui satisfera tes aspirations amoureuses.

Sanglotant, elle balbutie:

- Je ne veux plus jamais d'autre homme dans ma vie.

- Voyons. Tu es jeune et très attrayante, remplie de tendresse, excessivement féminine. Ne désespère pas de la vie.

- J'aimerais te croire, mais je me connais trop et je n'ai pas de volonté. Je recommencerai toujours à passer d'une déception à l'autre sans jamais me fixer. Je ne cherche qu'à m'aimer moi dans l'autre, voilà pourquoi je me condamne d'avance à ne plus goûter que frustration et amertume.

- Allons, ne te laisse pas aller à un découragement qui va finir par te démolir. Notre passé, même blâmable, doit nous servir de tremplin pour tendre vers le mieux. Oublions nos erreurs et envisageons l'avenir qui nous sourit.

- Je ne sais comment te remettre toutes tes bontés et le bienfait que m'apporte ta compréhension, surtout en ce moment où je passe par le plus sombre tunnel de toute mon existence.

- Il existe un moyen, toutefois. Devine.

- Rencontrer un homme comme toi auquel je pourrais m'attacher sans ne jamais plus le quitter.

- Tu y parviendras, j'en suis persuadé. À présent, séparons-nous, je travaille demain et toi aussi.

- Hélas! Je n'ai plus de goût à rien. Je suis rendue une épave, Arthur, t'en rends-tu compte?

- Ne te déprécie surtout pas, Fleur de beauté. Tu mérites plus que cela. Tu n'as rien perdu de ta force de caractère. Stimule-toi, si tu veux me causer un grand plaisir.

- Je ferai tout ce que tu voudras, mais seulement parce que c'est toi qui me le demandes.

Je donne rendez-vous à Fleur de beauté de temps en temps. Je me rends compte qu'elle se cramponne à moi, ce qui me fait douter de mes bonnes intentions de lui aider. Je profite de ces rencontres pour me river davantage à celle dont l'affection ressuscite. Le seul moyen de remédier au tort que je me fais et que j'aggrave petit à petit est de reprendre contact avec Jeanne d'autant plus que je l'ai négligée ces temps-ci. Deux lettres sont restées sans réponse et le jour où je m'apprête à communiquer avec elle, une troisième me parvient. Jeanne commence à se méfier de moi, elle me le fait savoir explicitement.

Arthur,

Que se passe-t-il? Tu m'inquiètes vraiment. Si tu es malade, fais-le-moi savoir ou demande à Fleur de beauté de me renseigner. J'ai reçu un billet de sa part, fort gentil d'ailleurs. Elle me souhaite beaucoup de chance dans mon nouvel emploi au Japon et un séjour définitif dans son pays après mon mariage avec toi.

Je ne doute pas encore de toi, mais tu m'obliges à me poser de sérieuses questions. Comment sait-elle mon adresse? Qui l'a mise au courant de mes

projets? Après t'avoir délaissé d'une façon odieuse, aurait-elle réussi à te
reprendre, comme si de rien n'était?
Ma profession de psychologue m'apprend à ne pas me fier aux apparences. De
toute évidence, il me faut admettre qu'une seule personne peut lui avoir révélé
ce secret entre nous deux. J'attends tes explications avant de prendre une
décision irrévocable que je n'ai pas besoin de mentionner...
Jeanne

Il faut faire face à l'inévitable. Je devine maintenant pourquoi Fleur de beauté veut se rapprocher de moi. Si elle ne m'a pas fait connaître cette fourbe manoeuvre de sa part, préférant me témoigner ses regrets, veut-elle éviter ainsi que je la repousse en cette phase cruciale de sa vie amoureuse? Quoiqu'il en soit, je n'ai pas le choix, il me faut mettre Jeanne au courant du comportement de Fleur de beauté.

À l'Amant de mon coeur,
Ta bravoure, car je sais qu'en l'occurrence il t'en a fallu une bonne dose, pour
ne pas risquer de me détourner de toi, même si tu n'es pour rien dans ce qui
arrive. Que tu n'aies pas donné mon adresse à Fleur de beauté ne m'étonne
guère car sans cela tu ne t'appellerais pas Arthur Bédard. Par contre, les
agissements de Fleur de beauté donnent beaucoup à réfléchir. Ayant quitté
deux amants et un mari, elle est portée naturellement à revenir à toi. Surveille
bien le moindre signe de rapprochement. Pour avoir étudié bien des cas
similaires, je crois qu'elle fera tout en son pouvoir, étant désespérée à ce point,
pour reconquérir ton amour. Les études que j'ai entreprises dans ce domaine
m'aident beaucoup à te prévenir. Implorant ta pitié au début, t'avouant sa
flamme, elle ira jusqu'à me supplanter. Je la crains plus dans ce domaine que
relativement aux tracasseries de tous genres qu'elle pourrait mettre en oeuvre
pour semer la bisbille entre nous, une fois que je serai revenue au Japon.
Attendons-nous à devenir la cible de sa jalousie.
Je ne veux songer qu'à nous deux. Je t'ai quitté par la force des choses, ne
voulant pas me contenter des morceaux de ton coeur. Maintenant que la
vapeur est renversée, les sentiments que je n'avais pas le droit d'exprimer au
guide, je puis désormais les révéler à celui qui m'aime assez pour consentir à
m'épouser.
Mon Arthur d'amour, tu ne te surprendras guère si je te communique mes
véritables dispositions envers toi. Je te parlerai le langage de tous les amoureux
du monde, justement parce qu'étant éternel, il ne trompe pas. «Je t'aime».
Depuis que je suis revenue à Montréal, je vis au Japon avec toi. Je me suis
contrainte à des efforts surhumains pour ne pas t'écrire après nos adieux. En
retour, comme j'aurais voulu que tu me désobéisses en utilisant mon adresse
ou même mon numéro de téléphone pour me donner signe de vie et satisfaire la

lueur d'espoir qui ne s'éteignait pas dans mon coeur! Heureusement, tu l'as fait dernièrement.

Je bénissais les nuits sans sommeil durant lesquelles, étendue, je songeais au merveilleux. J'acceptais la douleur qui me permettait de savourer le plaisir de vivre avec toi malgré la distance.

En m'annonçant que tu me proposais de partager ta vie, tu ne me causais aucune surprise car dans mes divagations, j'en avais fait une réalité.

Dans un mois, très cher, ta Jeanne foulera le Pays du Soleil levant pour pénétrer dans la lumière de nos retrouvailles.

Ton adorée,

Jeanne

J'éprouve une étrange sensation en accueillant Jeanne à l'aérogare. Je pourrais considérer cela comme un pressentiment. Il me semble voir des arcs-en-ciel de résurrection.

Depuis plusieurs semaines déjà Jeanne occupait son poste de professeure de psychologie et je n'ai pas revu Fleur de Beauté une seule fois. Notre bonheur ne fait que croître. Nous sommes à la veille du mariage. Jusqu'ici rien n'est venu assombrir notre harmonie.

La noce a lieu en grande pompe, vu le salaire élevé de Jeanne et le mien assez intéressant que viennent gonfler de généreux pourboires. La cérémonie terminée, durant notre marche dans l'allée, j'aperçois Fleur de beauté. Elle penche la tête sur ses mains jointes pour ne pas que nos regards se croisent.

Lors d'une excursion touristique, nos deux autobus font halte au même hôtel. Voulant la remercier d'avoir assisté à la cérémonie nuptiale, je la cherche et ne la vois pas. Au bureau des renseignements, je demande son numéro de téléphone, je l'appelle.

- Fleur de beauté, je te remercie de ta présence à la messe, le jour de mon mariage. Je t'ai cherchée pour t'inviter au banquet. Où étais-tu passée?

- Je sais, je n'aurais pas dû me montrer à cette occasion, mais c'était plus fort que moi. La curiosité a vaincu les convenances. Je te voyais si heureux. Je te souhaite de l'être toujours.

La voix devenant émue, je l'entends sangloter. Elle raccroche. Je frappe à la porte, pas de réponse. Je retourne à ma chambre, hésitant entre le désir de la rappeler et la résolution de ne plus l'ennuyer. Cette dernière décision l'emporte.

En partant, à la réception, on me remet une enveloppe. Mon coeur sursaute, ballotté entre l'espérance d'une marque d'affection ou le signe d'une rupture. «Arthur, il ne faut plus jamais m'adresser la parole ni même chercher à me revoir. Si tu ne t'en tiens pas rigoureusement à cette consigne, je te rendrai responsable des conséquences qui pourraient s'ensuivre.» Elle ne signe même pas. Du fond de mon honnêteté, je lui donne raison. Toutefois, ce billet laconique me laisse songeur, ne sachant pas au juste quelle interprétation lui donner. Fallait-il comprendre que j'ai porté le coup de grâce à son affection ou entendre qu'il suffirait d'un souffle d'attentions pour rallumer la mèche de cette passion qu'elle veut éteindre à tout prix?

À la promotion de fin d'année, la soeur de Fleur de beauté gradue. Après les cérémonies d'usage, quel bonheur de pouvoir bavarder avec monsieur et madame Yukawa! Ils nous invitent, mon épouse et moi, à une réception, dans trois jours, en l'honneur de leur fille. Je décline l'offre. Jeanne ne me donne pas le temps d'expliquer le pourquoi. Me faisant un clin d'oeil approbateur, elle s'engage pour nous deux. «Bien sûr que nous acceptons cet honneur, M. et Mme Yukawa. Vous avez été si pleins de prévenances à l'endroit d'Arthur. Il me parle de vous avec tant de gratitude que ce serait inconvenant de ne pas vous dire un merci tangible en acquiesçant.»

La tête sur l'oreiller, Jeanne, en me donnant le dernier baiser de la soirée, remarque mon air froid.

- Arthur, pour l'amour, qu'est-ce qui ne va pas?

- Rien, absolument, je t'assure.

- Je te connais, quand tu prends cette mine-là, tu me caches quelque chose.

- Tu l'auras voulu.

- Certainement, dis-moi la vérité.

- J'ai comme une certaine appréhension que je ne dois pas rencontrer Fleur de beauté.

- Et pourquoi donc, s'il te plaît?

- Il vaut mieux.

- Ne me laisse pas perplexe. L'as-tu revue depuis mon arrivée?

- Une seule fois.

Je lui racontai l'incident survenu à l'hôtel.

- La conduite qu'elle a eue en cette occasion est toute à son honneur. Que lui reproches tu?

- Rien, je t'ai dit.

- Alors conduis-toi en adulte. Arrête de jouer au chat et à la souris. Parler à une ex-fiancée n'insinue pas du tout qu'on veuille délaisser sa femme.

- Tu sautes vite aux conclusions.

- Je n'exige qu'une chose, sois raisonnable et si tu consens à me faire plaisir, à me prouver plus d'attachement encore, use de discernement en toutes occasions. Tu veux le fond de ma pensée. Au collège où j'enseigne, à la fête d'un ou d'une collègue, on soupe ensemble et l'on termine la soirée dans une salle de danse. Comment considérerais-tu ta Jeanne si par une pudeur non fondée ou par une pusillanimité déplacée, elle restait assise sur une chaise, répondant: «Non, monsieur le professeur de français, non, monsieur le directeur, demandez à une autre partenaire.» Faisons preuve d'une vigilance élémentaire et les drames qui sont en état embryonnaire dans notre fausse modestie, ne verront pas le jour.

- Même si je trouve que tu prends les choses un peu trop à la légère, je te donne raison. Je me fie aux déductions de la psychologue. Nous assisterons à la fête. Et vive la compagnie!

Jeanne a vu juste, j'ai dansé plusieurs fois avec Fleur de beauté sans qu'aucune suite regrettable ne se produise. Le contraire est arrivé. Le qui-vive sur lequel nous étions depuis des mois se change en une détente qui nous soulage grandement et fait disparaître des suppositions nuisibles.

Quand mes congés coïncident avec ceux de Jeanne, nous prenons le «Bullet Train» et visitons tantôt une ville, tantôt une autre. Nous aimons entrer dans les églises catholiques et causer avec les prêtres ainsi que dans les écoles tenues par des religieux et des religieuses qui parlent français ou anglais. Ils nous invitent à leur table et les évocations portant sur le Québec ou l'une des autres provinces du Canada se multiplient.

Quelle sensation de bien-être s'installe en moi lorsque sur la plage, je contemple la mer du Japon en compagnie de Jeanne! Me trouver si loin de mon pays natal et si près de celle qui incarne pour moi, Montréal.

Mon épouse est très jolie. Ses cheveux d'un blond lumineux bouffent sur le dessus de la tête et descendent en queue de cheval jusqu'au milieu du dos. Son corps vêtu d'un maillot de bain offre des formes bien moulées. Un peu plus grande que la moyenne, elle en impose par la proportion de tous les membres. Sa chair qui commence à bronzer prend la couleur d'un clair sirop d'érable de chez nous. Ses caresses en ont la suavité.

Les yeux d'un brun châtaigne vous transpercent de leur fascination. Un grain de beauté juste au coin droit de la lèvre supérieure attire l'attention car il diamante cette figure d'un ovale parfait. Un seul défaut physique, une légère claudication due à son accident.

Jeanne se fait remarquer surtout par sa belle âme et son intelligence. Il émane d'elle une bonté profonde. Débordante de tendresse, elle voudrait que les autres en possèdent naturellement. Affectueuse, Jeanne s'attend à être chérie avec autant d'affection qu'elle en manifeste. Pour elle, la vraie beauté, celle qui demeure et s'accroît avec l'âge, se trouve à l'intérieur. Une personne vaut par son âme.

Nous restons des heures l'un contre l'autre, nous imprégnant du bonheur d'être ensemble. Nos regards perdus dans le mirage du lointain parviennent jusqu'à la ville où nous sommes nés et que nous n'avions pas quittée jusqu'à notre venue en cet archipel. Nous vivons en ces moments-là en deux endroits différents: au Japon et au Québec. L'océan berce nos rêves, la vague caresse nos corps.

Au cours d'un de mes voyages, je reçois un appel téléphonique de M.

Yukawa. Il m'apprend que Fleur de beauté se meurt d'une maladie de langueur. Si ce n'est pas trop me demander, il m'invite à passer la voir à l'hôpital.

- Dans la fièvre qui lui brûle le front et dessèche ses lèvres, elle ne fait que prononcer ton nom. J'ai cru bon de te mettre au courant de la situation et tu m'obligerais beaucoup en lui donnant cette dernière consolation, peut-être.

Comment refuser à la famille et à la malade cette marque d'amitié ainsi que de reconnaissance. Je m'empresse dès mon retour, de me rendre au chevet de Fleur de beauté. Je la laisse quelques minutes dans son sommeil, lui passant la main dans les cheveux. Elle entrouvre les paupières et cherche mes doigts. Je les mêle aux siens. Je n'ai plus rien à redouter de sa part. Elle respire à peine.

- Je te chéris toujours, Fleur de beauté.

Un faible tressaillement me prouve que je lui procure une grande joie.

- Nous avons vécu ensemble des années de ciel.

Elle essaye de se lever, probablement pour m'embrasser, mais sa tête retombe sur l'oreiller.

Je ne peux la serrer dans mes bras à cause de sa faiblesse extrême. Ses yeux commencent a prendre l'éclat vitreux de la fin prochaine. Ne percevant aucun souffle de vie, je sonne l'infirmière de garde. On me demande de bien vouloir me retirer.

- Dites-moi, je vous en supplie, s'il y a de l'espoir.

- Nous le ferons savoir à son père, dès que nous serons rassurés.

Jeanne comprend ma peine et me laisse pleurer ma douleur. Je téléphone chaque jour à M. Yukawa pour m'enquérir sur l'état de sa fille, lequel demeure stable.

Je n'aurais jamais cru que cette situation pénétrerait si profondément dans les entrailles de mon coeur. Jeanne a beau manifester une patience exemplaire, sympathiser avec ma torture, notre vie conjugale reçoit un dur coup. Je ne suis plus là, comme on dit. Mon corps reste à la maison, mon esprit s'envole à l'hôpital.

- Écoute Arthur, emmuré dans ta souffrance, tu risques de te démolir toi-même et de perdre ton emploi.

- Puis-je faire autrement?

- Oui.

- Quelle solution miracle me proposes-tu?

- D'abord réagir de toutes tes forces contre un laisser-aller qui ne mène à rien. Ensuite, te distraire. J'ai quelques jours de congé à Pâques, nous escaladerons le Mont-Fuji. Quel souvenir cette ascension nous rappelera-t-elle!

- Je puis à peine me traîner.

- Cesse de te conduire comme un adulte sans volonté, au comportement sans ressort.
- N'insiste pas. Je n'irai pas.

À ma dernière visite à l'hôpital, Fleur de beauté manifeste un peu de mieux. Elle a ouvert les yeux et n'a fait que me regarder sans pouvoir articuler aucune parole. Son regard produit sur moi l'effet d'un long baiser. Arrivé à la maison, je suis content d'annoncer ce progrès à Jeanne. Elle me répond sèchement.

- Tant mieux pour toi, Arthur.

Surpris par son attitude, je rétorque:

- Qu'entends-tu par là?
- Tu as hâte qu'elle se rétablisse, non?
- C'est naturel. Ça ne te réjouis pas plus que cela?
- J'en suis ravie!
- Ne prends pas ce ton moqueur.
- Mon pauvre Arthur, pourquoi ne demandes-tu pas d'être hospitalisé dans la chambre contiguë à celle de ta Fleur de beauté? Tu pourrais te soûler de son arôme.
- Je ne te reconnais plus. J'ai toujours eu pleine confiance en ton jugement. Te souviens-tu de m'avoir conseillé de ne pas jouer au chat et à la souris avec Fleur de beauté?
- Certainement que je me le rappelle, mais je ne t'ai jamais recommandé de cohabiter avec ta souris et depuis quelque temps, c'est tout comme. Regarde en face nos relations. Quand dans un foyer l'homme et la femme en sont rendus à ne plus s'adresser la parole, ils divorcent sans se séparer, ce qui est pire encore. Cette attitude dépeint bien notre situation.
- Tu dépasses les bornes.
- Ah oui! Nous sommes parvenus à nous éviter.
- Mais cela ne va pas durer, bon sang! Une fois qu'elle sera guérie nos relations normales reprendront.
- Tu le crois. Ne sois pas naïf, mon cher, ou du moins inconscient de ce que tu es en train de préparer.
- Que vas-tu chercher là? Tu ne vois pas que je suis à bout de nerfs, angoissé.
- Ah! ça oui, je ne fais que le constater et cela me préoccupe plus que tu ne pourrais le supposer. Je me demande quel prétexte tu inventeras, après qu'elle sera remise, pour veiller sur Fleur de beauté.
- Tu me prêtes des intentions.
- Pas du tout. Je te connais assez pour être certaine des démarches que tu vas entreprendre lorsque Fleur de beauté sera retournée à la maison.
- Ne continuons pas, nous pourrions regretter nos paroles et les conséquences qu'elles entraîneront.

- Au contraire, parlons-nous sans biaiser.
- C'est la psychologie qui te suggère cette proposition, je suppose.
- Exactement et ta femme te met en garde. N'attends pas qu'il soit trop tard pour revenir en arrière.
- Est-ce que je te reproche tes sorties les jours de congé avec tes collègues masculins?
- Comme tu deviens mesquin, mon Arthur!
- Je te pose une question.
- Je suppose que tu connais la réponse. Tu crois que je vais me cloîtrer en me plongeant dans mes livres, écoutant la radio ou dévorant la télévision pendant que monsieur passe tous ses loisirs près d'une pseudo-moribonde?
- Ne te moque surtout pas de Fleur de beauté.
- Je l'admire d'arriver à ses fins, enlevant d'une façon mielleuse Arthur à son épouse.
- Tes insinuations dépassent tout bon sens.
- Fais comme ta malade, ouvre les yeux, chéri; il doit te rester au moins cette force.

Ce soir-là, je couche sur le divan, dans le salon. Cette décision me cause un étrange bouleversement intérieur. Mon imagination de poète, peut-être, amplifiant les conséquences de la situation me fait même songer à une séparation. Je chasse ce noir présage. Un sommeil agité me secoue tellement que je me réveille à plusieurs reprises, vivant un cauchemar d'incertitude. Lorsque je me réveille, mon épouse est rendue au travail. Je m'habille. Ma seule préoccupation est d'aller voir comment se comporte la malade. Prenant mon courrier, une lettre de la compagnie d'autobus réservés aux touristes me prie d'aller rencontrer le responsable vers la fin de cet après-midi.

- Vous devinez pourquoi je vous fais venir M. Arthur Bédard?
- Je m'en doute un peu.
- Ah oui! Nous ne pouvons plus tolérer vos fréquentes absences.
- Je suis indisposé.
- Prenez un congé de maladie à vos frais, à moins que vous ne nous apportiez une attestation de votre médecin. Cette requête nous semble justifiée.
- Absolument et je vous remercie de me prévenir.
- Nous avons engagé un remplaçant pour une période de deux semaines n'ayant eu aucune nouvelle de votre part. Cela vous donne le temps de vous rétablir à moins que vous nous avertissiez dès maintenant si vous avez l'intention de quitter votre emploi.
- Pas du tout.

Au souper, je comptais annoncer la nouvelle à Jeanne. Elle m'avait laissé un mot comme à l'accoutumée: «Je ne rentrerai que très tard dans la soirée, je suis retenue à l'école».

J'allai voir dans sa garde-robe. Elle avait revêtu sa plus belle robe. Je regardai dans ses tiroirs. Sa rivière de diamants n'y était pas. Je compris. Pouvais-je la blâmer? Heureusement, nous sommes vendredi. Demain, nous disposerons de tout notre temps pour nous remettre en question.

Je ne revois Jeanne que le lundi matin avant qu'elle ne quitte pour se rendre à l'école.

- Arthur ne va pas à l'ouvrage ce matin.
- J'ai quelque chose de plus important à te confier.
- Tiens!
- Ce n'est pas ce que tu penses.
- Tu m'en parleras ce soir.
- Bonne journée!
- À toi aussi.

Cela saute aux yeux. Je me suis mis dans le pétrin. Jeanne s'est conduite correctement avec moi. Ne pouvant me faire comprendre par des paroles, elle est passée aux actes, me rendant la monnaie de ma pièce: ses absences prolongées.

Comment rétablir l'ordre? J'échafaude un tas de solutions. Au préalable, reconnaître mes torts. Avec une personne de la trempe de mon épouse, la bonne volonté peut tout réparer.

La perspective de ne plus revoir Fleur de beauté, maintenant que sa santé s'améliore d'une façon plus satisfaisante que prévue, s'impose. La psychologue a vu clair en moi. La maladie de la Japonaise me touchait d'une façon trop excessive et intéressée. Dans les profondeurs de ma nature des vagues d'un attachement invincible m'illusionnaient sur les véritables motifs qui me poussaient vers elle. Si le signe reçu concernant mon emploi n'était pas venu me secouer, une séparation d'avec Jeanne devenait inéluctable. Fleur de beauté aurait insisté pour que je retourne vivre avec elle. La situation ne permet aucune tergiversation. Jeanne ou Fleur de beauté. Il ne me reste qu'une attitude à prendre: prouver à ma femme qu'elle l'emporte dans la balance.

9

Amour rénové

Jeanne et moi avons surmonté la grande épreuve d'une séparation imminente. Tout a repris son cours normal. Je suis retourné au travail, grâce à l'intervention de M. Yukawa qui a expliqué à mes supérieurs le pourquoi de mes fréquentes absences. Quant à Fleur de beauté, je la revois de temps à autre, mais elle se tient sur ses gardes et moi aussi d'ailleurs. Tout mon bonheur maintenant se concentre sur Jeanne. Je découvre en elle des qualités que je n'aurais jamais perçues s'il ne m'avait été donné d'en être le bénéficiaire. Une d'entre elles me procure le plus grand bien et est à l'origine de ce que j'appelle ma conversion: son esprit de discernement.

Mon épouse possède une intelligence remarquable et elle s'en sert à bon escient. Notre mariage lui doit de prendre une tournure enviable. L'harmonie règne et personne n'en altère le charme. Parfois, au cours des réunions, certaines gens prônent des idées trop avancées ou laxistes tendant à la tolérance excessive dans la confiance réciproque du couple. Elle fait les mises au point avec tact et fermeté.

Sa largeur d'esprit dans le domaine des relations interpersonnelles conserve le juste milieu entre une trop grande liberté où tout semble permis et une étroitesse d'esprit qui brime l'épanouissement des partis en cause. Tous, aime-t-elle avancer, doivent vivre épanouis et ne pas laisser autrui empiéter sur leurs droits. Elle combat l'esprit de domination au foyer sous toutes ses formes allant des voies de fait à la cruauté mentale s'exerçant à l'ordinaire par le traumatisme.

Notre amour reçoit sa récompense. Jeanne est enceinte. Cette consécration de notre union ajoute un élément inespéré à la joie de notre vie en commun. Nous récoltons le fruit de nos efforts pour sauver du naufrage un foyer que mon égoïsme avait failli effondrer. Nous profitons des quelques mois qui suivent pour multiplier les sorties et les distractions.

Nos baisers fréquents et prolongés disent suffisamment combien nous nous félicitons de l'heureux événement. Je passe la main avec une satisfaction d'enfant sur le ventre qui recouvre le nid où s'opère la gestation du petit être qui illumine notre vie. Nous échangeons des regards chargés de mystère et d'espoir. Nous vivons un rêve, tout éveillés.

Jeanne était étendue sur le divan du salon, je me couchai près d'elle et l'enveloppai de mes bras et de ma tendresse. Instinctivement, je voulais par ce geste lui prouver toute ma gratitude d'avoir été pardonné, compris, chéri plus passionnément qu'avant ma faute. On aurait dit qu'il ne s'était rien passé entre nous.

Nous sommes allés passer un séjour dans un hôtel. Depuis qu'elle est enceinte, Jeanne paraît rajeunie et plus magnifique encore. Quel bébé merveilleux nous aurons s'il ne dépendait que d'elle! À vrai dire, j'ajoutais sans fausse modestie, qu'il ne perdrait rien à me ressembler!

La vue donnant sur la mer embrassait un panorama d'une magnificence exceptionnelle. Le soleil, avant de se baigner, dessinait des guirlandes dans le ciel zébré de nuages effilochés, de lueurs écarlates dont l'incendie s'éteignait à mesure qu'il s'enfonçait dans la mare de sang que formait l'onde. Ayant assisté à l'apothéose du jour, nous nous prélassions dans la piscine, nous poursuivant comme des poissons. Nous nous étreignions sous l'eau, enlacés par la caresse sensuelle de l'élément liquide.

Jeanne met au monde un garçon. Il a les yeux de sa mère alors que son petit nez ressemble au mien. Il forme un trait d'union entre nous deux ajoutant un élément de complicité dans nos relations de plus en plus cordiales. Nous organisons une soirée où le personnel de l'école et plusieurs guides touristiques se réunissent. M. et Mme Yukawa ainsi que Fleur de beauté reçoivent une convocation d'après les convenances les plus élémentaires. Cette dernière ne se montre pas. Au cours de la réception, on se croirait au Canada tellement le français et l'anglais l'emportent sur le japonais.

Lors d'une promenade par un beau soir de lune, Jeanne me dit:

- Même lorsque tu semblais le plus amouraché de Fleur de beauté, je sentais que nous étions faits l'un pour l'autre.

- Conclusion de psychologue. Quant à moi, la première fois que je t'ai vue de si près dans l'autobus, me dévisageant au cours de mes explications en tant que guide, j'ai ressenti une étrange émotion. Montréal ne pouvait être mieux représentée.

- Flatteur!

- Ne va pas croire surtout que j'exagère. Lorsque tu m'as suivi, j'avais une envie folle de t'embrasser longuement.

- Fleur de beauté te retenait évidemment.

- Voilà! Me le reproches-tu?

- Tu as grandi dans mon estime. Je t'admirais de ne point te livrer à la première venue, même pas à une concitoyenne.

- Maintenant que les circonstances ont tout changé, je peux me satisfaire jusqu'à satiété. Partie remise, ce soir à la maison. J'en frissonne d'avance.

Plusieurs années passent. Fleur de beauté décide d'envoyer sa fille à l'école anglaise afin de l'enrichir d'une triple culture. Âgée de quelques mois de plus, Chrysanthème est dans la même classe que David. La première fois que je la vois à l'école, je ne peux m'empêcher de contempler le sosie de la mère en miniature. Mon fils, la tenant par la main, me dit:

- Papa, regarde, je me suis fait une amie, elle parle français.
- Comment t'appelles-tu, ma jolie?
- Chrysanthème, monsieur. Pourquoi m'appelez-vous ma jolie?
- Parce que tu ressembles à ta mère.
- Vous connaissez Fleur de beauté Nagoya.
- Beaucoup et depuis longtemps.
- Vous allez venir chez nous, alors.
- Peut-être.
- Moi, est-ce que je peux aller dans votre maison?
- Dis oui, papa, j'aimerais beaucoup qu'elle voit maman.
- Comment s'appelle-t-elle?
- Jeanne.
- C'est un drôle de nom.
- Pas pour nous autres.
- Chrysanthème va venir souper avec nous?
- Je vais d'abord en parler à ta mère.
- Mais, papa, c'est mon amie, maman va l'accepter.
- Bien sûr! Et puis, il faut que la maman de Chrysanthème soit avertie. Tu ne trouves pas, David?
- Tu as raison, papa.
- Demain, est-ce que cela fait votre affaire, mademoiselle et monsieur?
- N'oublie pas, Chrysanthème, avertis ta maman.
- Oui monsieur David.
- Merci, mademoiselle.

Les deux enfants rient de tout leur coeur en se saluant à la japonaise et s'en retournent la main dans la main, contents comme deux oiselets qui piaillent simplement à se regarder.

La plus heureuse de tous, c'est Jeanne. Elle ne se lasse pas d'admirer la petite Nippone. Sa mère l'a parée comme une poupée. Elle a même pensé à l'obi proportionnée à la petitesse de la robe. Avec quelle aisance, Chrysanthème fait tourner sur son épaule le manche de son parasol. La grâce chez la femme est innée.

Pendant que les enfants s'amusent et que je les regarde sans me lasser, Jeanne, un moment donné, lança:

- Hé! Arthur, je suis ici!
- Excuse-moi, j'étais parti.
- Je sais où.

Elle m'embrasse pour me prouver qu'elle comprend ma distraction. Le week-end de notre anniversaire, Fleur de beauté insiste pour garder David à coucher, ce qui nous permet à Jeanne et à moi de nous retirer loin de la ville.

La nuit chaude nous porte naturellement à nous baigner. La félicité d'être ensemble nous comble de paix. Nous ne faisons que nous admirer. Nous nageons la longueur de quelques brasses, puis remontant à la surface, je prends Jeanne dans mes bras, l'étends sur la couverture, la couvrant de tendresse et de baisers. Nos lèvres s'écartent pour se river de nouveau. Dans cette nature complice, nous faisons l'amour, grisés par le doux clapotis de l'eau et emportés par la jouissance de nos deux corps en un seul.

- Jeanne, tu as métamorphosé toute mon existence depuis le jour où tu m'as enseigné à ne pas prendre mes émotions pour des vertus.

- Je t'aime, Arthur, et de te savoir abandonné par une beauté qui ne recherchait que son plaisir, me faisait autant de peine qu'à toi.

- Tu m'as sauvé du désespoir.

- J'ai ma récompense, aujourd'hui. Allons nous coucher. Je meurs de sommeil.

Je la regarde dormir, me demandant: pourquoi, moi? Je continuerai à faire tout en mon pouvoir pour mériter de posséder la femme la plus merveilleuse que je connaisse.

Rien n'est plus divin sur terre que le mariage d'amour! La vie de couple unissant des êtres qui vivent l'un de l'autre renferme le paradis, il ne lui manque que l'éternité. Dieu s'incarne dans un père, une mère, dont l'adoration tangible se projette dans l'enfant. Cette trinité d'ici-bas n'a d'autre bonheur à envier que celui procuré par une félicité bienheureuse.

Noël approche. Monsieur Yukawa m'invite ainsi que Jeanne à venir le passer chez lui. Chrysanthème et David vont tellement s'amuser! Le sapin décoré comme une féerie étale à ses pieds une montagne de cadeaux. En déballant les leurs, les deux enfants lancent des cris de surprise qui résonnent comme les exclamations des angelots qui garnissent les branches. Se joignent au groupe, des médecins, des professeurs, des guides. Le saké, génie de l'hilarité générale, fait mousser les conversations. Fleur de beauté ne s'y trouve pas. Madame Yukawa souligne, à la déception de tous les invités, qu'elle est retenue au lit par une indisposition maligne.

Les enfants grandissent. Ils terminent leur cours primaire. On pense déjà à l'école qu'ils fréquenteront après les vacances. Chrysanthème et David ne se quittent plus. Ils font leurs devoirs ensemble soit chez l'un ou chez l'autre. David pratique son sport préféré, le basket-ball. Chrysanthème fait partie des supporteuses de la même équipe. Un frère et une soeur ne sont pas plus unis.

À part quelques rencontres inévitables, Fleur de beauté demeure toujours mystérieuse pour les Bédard. Même en ces occasions, elle se contente de les saluer gentiment, sans vouloir entamer la conversation. Ma femme et moi, nous en concluons qu'enfermée dans sa solitude, elle envie notre bonheur.

Jeanne reçoit un télégramme. Sa mère est mourante, une crise cardiaque.

Juste le temps de faire ses bagages et je la conduis à l'aéroport. Je ne puis laisser mon travail. Manquer l'école pour un temps plus ou moins long nuirait sérieusement à David. Autant de raisons péremptoires qui m'obligent à rester sur place.

Lorsque j'accomplis ma mission de guide, David est confié à Fleur de beauté. Je m'explique mal son absence au travail. Je ne la vois plus de tout. Aurait-elle abandonné son poste pour se livrer uniquement à ses occupations de mère? Serait-elle indisposée? Il me faut en avoir le coeur net.

- David, je désire te parler.

- Pas pour empêcher Chrysanthème de venir ici, chaque soir.

- Au contraire, j'aime beaucoup ton amie. Je veux simplement savoir pourquoi tu ne travailles pas chez elle plus souvent.

- Parce que sa mère ne va pas bien.

- Explique-toi.

- Elle se soûle la plupart du temps.

- Quoi? Tu n'en as jamais parlé ni à ta mère, ni à moi?

- Chrysanthème m'a fait promettre de ne pas vous en dire un mot, sinon je ne serai plus son ami et nous ne pourrons plus nous voir, jamais.

- Quand tu vas chez madame Nagoya, est-elle gentille avec toi?

- Elle s'enferme dans un appartement et nous ne la voyons pas.

- Qui sert les repas à Chrysanthème?

- Elle-même, elle est assez grande pour ça.

- Quand vous ne vous livrez pas à vos travaux scolaires, comment occupez-vous votre temps?

- Des fois, on reste dans le jardin, ou bien on va chez d'autres amis. On me prête une bicyclette et nous faisons des randonnées.

- Qu'est-ce que pense Chrysanthème de sa mère?

- Qu'elle ruine sa santé. Mon amie me regarde avec des yeux pleins de larmes; elle éclate en sanglots. Pour la consoler, je lui achète de la crème glacée ou des friandises. Je l'aime beaucoup, mais plus encore, lorsqu'elle me paraît très malheureuse. Après mon collège, je vais la demander en mariage. Elle ne sera plus triste et nous vivrons très heureux. Jamais je ne la laisserai souffrir.

- Et que deviendra sa mère, d'après toi?

- Chrysanthème m'a dit que d'après son grand-père, elle n'en avait pas pour longtemps à vivre et elle a ajouté qu'il était un excellent médecin et qu'il avait parcouru le monde.

- Il a connu ton grand-père paternel, à Montréal.

- Chrysanthème va être très contente quand je lui apprendrai la nouvelle.

- Est-ce qu'elle t'aime beaucoup, Chrysanthème?

- Elle m'adore. C'est sa façon de m'avouer qu'elle m'aime à la folie.

- Est-ce que Chrysanthème t'a dit la raison pour laquelle sa mère boit tant que cela?

- À cause du chagrin. Elle a aimé un homme et il a marié une autre femme. Puis, elle n'a plus jamais abordé la question.

- T'a-t-elle dit de qui il s'agissait?

- Sa mère n'a jamais voulu révéler son nom.

- C'est bon, tu peux aller te coucher.

Si je m'attendais à pareille révélation! Il faut agir. Je suis certain que Jeanne m'approuvera. Si M. Yukawa n'a pas cru bon de me mettre au courant, il veut que l'événement reste en famille, ce qui rend ma tâche difficile. Les circonstances viennent me favoriser. Un soir après le souper, les deux adolescents accourent vers moi.

Viens vite papa, madame Nagoya est étendue sur la pelouse dans son jardin. On l'appelle, on crie, elle ne bouge pas.

Chrysanthème me prend par le bras, elle tire très fort.

- Je vous en supplie, monsieur le père de mon ami, ne tardez pas, vous êtes si bon!

Je me rends à l'endroit indiqué. Je vois une forme immobile dans l'herbe. Je mets un genou en terre et la secoue le plus doucement possible.

- Fleur de beauté, c'est moi, Arthur. Laisse-toi faire, je te transporte dans ton appartement.

J'ai beau m'y prendre à plusieurs reprises, elle ne veut pas se soulever ou ne le peut pas. Finalement, je réussis à la prendre dans mes bras et à la déposer sur la natte dans sa chambre. Elle ne me reconnaît même point.

Revenu à la maison, je me remets difficilement de l'émotion éprouvée. Je transportais une loque, cheveux défaits, robe déchirée. Elle ressemblait à une fleur piétinée, encrassée.

Au retour d'une de mes tournées, je passe exprès devant l'habitation de Fleur de beauté. Attablée seule dans le jardin, elle a plusieurs tasses de saké devant elle et boit à petites gorgées. Je l'observe sans être remarqué. Son visage frappe en pleine lumière. Elle a maigri à faire peur. Vivre ne compte plus pour elle. Ayant vidé une tasse, elle en prend une autre. Sa tête commence à ballotter. Elle dépose si violemment les petits bibelots en porcelaine, qu'ils cassent l'un après l'autre. Elle chante, transportée dans un paradis artificiel. Il faut penser sérieusement à la désintoxiquer. Comment y parvenir sans encourir l'inimitié de M. Yukawa et des membres de sa propre famille?

Je joue le tout pour le tout. Je fais un détour et me présente le plus naturellement possible.

- Bonsoir, Fleur de beauté!

Elle lève la tête. Les yeux roulent dans un brouillard.

- Qui, qu'est-tu - tu, toi?

- Arthur.

- Ar-ar-thu-rr. Jamais entendu. Ce n'est pas nom ja-ja-po-po-nais.

- Je viens de Montréal.
- Où où est-ce que-que ça-ça se trou - ve ça-ça?
- Au Canada. Ton père y est allé déjà.
- Lais-se m-m-on pa-pa-pa en de dehors-hors de ça-ça.
- Veux-tu, je vais t'aider à rentrer chez toi?
- Je-je n-ne r-çois plus-pu d'homme ch-chez m-moi.

Je pénètre à l'intérieur avec mon léger fardeau. Au moment où je la dépose par terre, elle s'agrippe à mon cou de toutes ses faibles forces. Elle pue l'alcool d'une façon nauséabonde. Elle colle sa bouche sur la mienne et veut me garder à ses côtés. Je dénoue facilement le lien de ses deux bras. Je la contemple un moment avant de me retirer. Toute menue, elle reste recroquevillée comme un jouet dont le ressort s'est détendu. La vaisselle gît sur le plancher. Les vêtements traînent comme des chiffons. S'enivrer, la seule occupation de Fleur de beauté. Tout l'appartement sent la poubelle où moisissent les restes du repas. Je sors écoeuré avec au fond de moi l'ombre d'un remords. Après tout, celui qui a disparu de sa vie, c'est moi, même si elle m'a forcé à me retirer et que je suis resté longtemps sur le seuil, espérant encore. Mais il a fallu que je m'en aille.

Au cours de la nuit, je fus réveillé par la sonnerie du téléphone. Je n'avais fait que m'assoupir et je n'étais pas en état de répondre.

- Arthur.

La voix est mouillée de larmes.

- Veux-tu avertir la direction de l'école que je ne retournerai que dans un mois environ.
- Je suis avec toi dans ta douleur, mon adorée.
- Tu me manques, trésor. Embrasse David bien fort pour moi.

Chrysanthème a dû avertir sa mère que j'étais venu chez elle, lui annonçant par le fait même que ma femme se trouvait à Montréal à des funérailles car Fleur de beauté se présente à mon domicile alors que sa fille et mon garçon suivent leurs cours.

- J'ai honte de moi, Arthur.
- Je ne te juge pas, Fleur de beauté.
- Je sais, mais vois ce que j'ai l'air.
- Ça te regarde. À toi de savoir comment t'en sortir.
- Je n'en ai plus l'intention.
- En toute franchise, je ne peux pas dire que je t'approuve.
- Si tu savais comme je souffre!
- J'en ai une idée, mais ce n'est pas une raison pour te laisser aller.
- Je ne vois aucun motif de vivre.
- Ne dis pas cela, les peines du coeur peuvent se guérir à la longue.

Nous possédons en nous toutes les énergies voulues pour en venir à bout, surtout si nous croyons en la Divinité.

- Elle aurait pu m'empêcher d'en arriver là.
- L'Être supérieur respecte notre liberté.

- Tu oublies que je me reproche de t'avoir éloigné de moi.

- Pense, par contre, qu'il m'a fallu me séparer de toi, et j'ai survécu. Tu ne trouves pas que j'avais besoin d'un plus grand courage?

- Arthur, je ne peux plus supporter de mourir vivante, sans toi.

- Fleur de beauté, notre amour devient impossible.

- Adieu!

- Je t'en supplie, en souvenir des jours merveilleux vécus ensemble, repens-toi, chérie, et reprends-toi.

Je la regarde s'éloigner. Je crains le pire. On dirait un zombi retournant à son tombeau. Le suicide hante Fleur de beauté. Seule sa douleur m'attire. Je suis terrifié à l'idée de ce qui va indubitablement lui arriver. Elle ne tient plus que par un cheveu. Je pleure, impuissant, de ne pouvoir faire davantage pour elle. Lorsqu'on n'a plus que de la pitié à offrir, le désespoir approche.

Ses cheveux, sa fierté, sont devenus une tignasse d'un noir broussailleux. Son apparence laisse l'impression de haillons ambulants. De quel droit puis-je la rentrer à l'hôpital? Pourtant, elle en a un besoin urgent. Une idée lumineuse surgit: m'adresser à madame Yukawa. Lui raconter les scènes cruelles que je viens de vivre. Seul un coeur de mère peut comprendre son enfant rendue au plus bas de la déchéance féminine! Elle saura trouver moyen de faire entendre raison à son mari et ne reculera point devant les objections de la parenté.

L'attirance qu'elle a exercée sur moi au début me pousse à tout risquer pour sauver Fleur de beauté. Comme elle me paraissait ravissante! Nous ne portions pas terre tous les deux, tellement que nous ne pouvions nous passer l'un de l'autre. L'enfer que vit Fleur de beauté n'a pas supprimé le paradis terrestre du temps où nous vivions une félicité qui ne meurt jamais complètement. L'agonisante que je venais de voir m'avait initié à une existence qu'on ne peut renouveler car l'amour possède plusieurs facettes, toutes différentes les unes des autres.

La Cendrillon qu'était Fleur de beauté, dans la douceur du souvenir, redevenait la princesse d'autrefois.

Fleur de beauté me visite régulièrement; je la tolère. Du moins, lorsqu'elle est en ma compagnie, elle ne s'enivre pas. Elle a un oeil au beurre noir et les poignets enflés. Quelqu'un serait-il venu la battre? Sans défense, elle devenait une proie facile à tout violeur.

- Tu t'es blessée, chère. Comment est-ce arrivé?

- Quelle importance!

- On a pénétré chez toi?

- Je ne sais plus.

- Pense aux conséquences très graves qui peuvent en résulter pour toi et pour ta fille.

- Chrysanthème a l'âge de se débrouiller toute seule. Quant à moi, il m'arrivera ce qui arrivera. La seule chose qui importe, c'est de venir auprès de toi.

Je comprends que je m'embarque dans une affaire qui peut me causer un préjudice très lourd de conséquences. Fleur de beauté s'étant retirée, je téléphone à madame Yukawa; j'insiste sur la gravité de la situation.

- Je vais en parler à mon mari au retour de son travail et je vous communiquerai sa décision.

À l'heure du souper, je reçois l'appel téléphonique désiré. M. Yukawa m'annonce qu'ils vont prendre en charge Chrysanthème. Elle va demeurer chez eux. Quant à leur fille, ayant déjà tout essayé, il ne peuvent plus rien pour elle. Ils me rassurent cependant lorsqu'ils s'engagent à faire surveiller sa maison.

Quand elle revient chez moi, Fleur de beauté ne fait aucune allusion à sa fille.

- Nous allons manger ensemble.

- Merci, je n'ai pas faim. Je boirais bien une tasse de saké.

La lui refuser pouvait vouloir dire: «Tu ne trouves pas que tu en abuses déjà beaucoup trop»? Au lieu de lui reprocher sa conduite, il valait mieux lui témoigner le plus de commisération possible.

Avec mansuétude, je résolus pourtant à parler franchement à celle qui ne cessait de me dévisager avec des yeux pleins d'envie et de résignation en même temps.

- Pourquoi te mettre dans cet état, Fleur de beauté?

- C'est toi qui me poses la question.

- Le remède se trouve ailleurs, je ne t'apprends rien.

- J'ai choisi celui-là. Rien ne me fera changer. Tu nages dans le bonheur, Arthur. Tant mieux pour toi. Quant à moi, je ne cherche qu'à oublier, peu importe par quel moyen. Nos vies diffèrent. En finir au plus vite. N'est-ce pas que je suis devenue à tes yeux Fleur de laideur?

- Ne dis pas ça, je te le défends. Tu as pris un mauvais tournant. Reviens en arrière, sois toi-même, énergique.

- Seule, jamais. Je n'ai plus la volonté de recommencer à neuf.

- Rien ne s'oppose à ce que tu arrêtes de boire.

- Je ne le désire même pas. Je regrette notre désaccord. Je ne reviendrai plus. Bonne chance, chéri!

Je la vis s'éloigner en titubant. Son désarroi moral me hantera toujours. Elle ne méritait pas de finir ainsi. Elle s'est montrée volage, infidèle, mais son coeur avait gardé un fond de bonté. Je la pleurai amèrement.

J'allais sombrer dans une tristesse morbide lorsqu'une lettre de Jeanne me fit l'effet d'une bouée de sauvetage. Elle m'annonce son retour dans une semaine jour pour jour. Fleur de beauté tient sa promesse de ne plus me revoir. Je me prépare au grand bonheur. Les aléas de la vie nous font passer de l'enfer au ciel et inversement.

10

Adieu Pays du Soleil levant

Au Japon, je reçois Le Devoir, quotidien imprimé à Montréal question de garder un lien avec ma place natale. Je parcours avec fébrilité le récit de l'accident où Jeanne ma femme a perdu la vie, nouvelle qui m'est parvenue par câblogramme le soir même où sa lettre m'annonçait son retour prochain. La chaussée était glissante. Les camions n'avaient pas encore répandu le calcium à cause du grésil qui donnait à l'asphalte un aspect de miroir. Une auto dérapa, en frappa de plein fouet une autre qui s'en allait dans la direction de l'aéroport de Mirabel. Le père, son garçon Jean-Pierre et sa fille Jeanne s'y trouvaient. Les deux premiers furent tués sur le coup. Quant à celle-ci, elle fut très grièvement blessée. Les pompiers réussirent à la sortir en sciant la porte au moyen de leur puissante machine. Lorsqu'on l'étendit sur la civière, le sang engluait son visage, maculait ses vêtements. Elle mourut dans l'ambulance.

Depuis une semaine, je vis sous le choc. M. Yukawa garde David chez lui. Chrysanthème ne quitte son ami que pour aller coucher chez elle. Je ne cesse de pleurer. Je m'épuise ne pouvant ni fermer l'oeil ni avaler un bouchée. Fleur de beauté m'apporte et rapporte les repas. Elle a les yeux pleins de larmes qu'elle essuie de temps à autre d'un revers de main. Elle ne prononce pas un mot, baisse la tête, accablée par la douleur. Sa sympathie se traduit suffisamment par sa présence. Elle ne manifeste aucun malaise causé par l'ivrognerie. Ne voulant pas abuser de la situation, elle se retire après le souper, laissant à vue les remèdes que je dois prendre pour que mes forces reviennent au plus tôt. Mon fils, accompagné de Chrysanthème, fait de nombreuses apparitions.

Je suis comme éclaboussé de sang. Je remercie le ciel d'avoir fait en sorte que Jeanne ne souffre pas trop. Je revis les mois béatifiques passés depuis son retour. J'apprécie davantage la chance qu'elle m'a donnée d'oublier toute la torture morale que je lui ai fait endurer lorsque je lui préférais Fleur de beauté. Le Japon ne sera plus jamais pareil maintenant. Que va-t-il m'arriver?

Fleur de beauté ne profite pas de l'occasion pour s'immiscer dans mon intimité. Par contre, elle redevient sobre. Son comportement s'explique. Mon mariage avec Jeanne l'avait portée à vouloir se détruire. Comment va-t-elle réagir? Nous avons repris notre emploi. Nous nous revoyons lors de certains voyages. Son attitude réservée me laisse perplexe. Veut-elle me donner le temps de me remettre complètement? A-t-elle décidé de ne plus entretenir de relations amoureuses avec moi? De mon côté, je respecte son attitude on ne peut plus circonspecte.

Quant à nos enfants, ils filent le bonheur parfait. Les événements, pour tristes qu'ils aient été, n'ont fait que favoriser leurs tête-à-tête. Ils ne se quittent que pour aller se coucher chacun chez soi. Leurs études bénéficient du fait qu'ils travaillent ensemble. Ils visitent le pays tantôt avec moi, d'autre fois avec Fleur de beauté. Leurs fréquentations nous font du bien. Nous nous souvenons du temps où, un peu plus vieux qu'ils le sont actuellement, nous nous fréquentions. Chrysanthème a hérité de toute la grâce de sa mère. David tient de moi au physique comme au moral. Nous sourions parfois en les voyant se préparer à vivre ensemble, qui sait?

Fleur de beauté n'entreprend aucune démarche pour se rapprocher de moi. Son attitude m'intrigue. Pourquoi s'efforce t-elle de mener une vie de plus en plus rangée? Je l'invite à souper dans un restaurant chic de Tokyo. Elle accepte. Elle revêt une robe bleue pailletée de brillants qui renvoient sous les lustres des reflets clignotants. La taille, qui a repris sa sveltesse, lui donne l'apparence d'une reine de beauté. Me voyant, elle arbore un sourire qui génère son épanouissement. Les yeux luisent de satisfaction. Sa grâce est vraiment phénoménale. À peine attablés, elle m'effleure la main. Je sens un frisson de velours.

Un silence mystérieux s'installe entre nous. Chacun cherche les mots appropriés qui traduiront des sentiments de paix, de réconciliation. Mes yeux se laissent pénétrer par son regard envoûtant. Je me sens fondre de plaisir. Nous buvons à longs traits l'allégresse de nous retrouver. Sa présence éblouit.

- Merci, Arthur.
- Je te devais bien ça, Fleur de beauté.
- Pourquoi?
- Pour ta patience à m'attendre.
- Tu te trompes, Arthur, je n'espérais plus rien de toi.
- Je veux dire après mon veuvage.
- Je croyais que tu ne te remettrais jamais de cette épreuve.
- Qu'as-tu ressenti lorsque je t'ai offert de sortir avec moi?
- Que tu avais besoin de distractions.
- C'est tout.
- Franchement, oui!
- Fleur de beauté nous sommes libres à présent tous les deux.
Pourquoi ne pas renouer nos anciennes relations?
- Donne-moi le temps d'y réfléchir.

- De ma part, je ne vois aucune objection à ce que nous reprenions nos fréquentations.

- Je dois m'assurer, si cela se présentait, de ma fidélité car je ne voudrais pas recommencer mes expériences et aller de nouveau jusqu'au fond de l'abîme.

- Je compte sur ta bonne volonté, ma chérie, ainsi que sur les excellentes dispositions qui t'animent.

- Arthur, l'amour le plus pur au début peut se muer en égoïsme et conduire à la haine.

- Pour ma part, tu m'attires autant et je suis tout disposé à prendre le risque, sachant que moi aussi je possède un côté don Juan.

- Profitons du passé pour assurer l'avenir.

- Que dirais-tu de rencontres espacées au début, plus fréquentes si nous nous retrouvons l'un l'autre?

- Ça me semble une solution très sage.

- Alors, je te revois la semaine prochaine.

- Commençons par profiter de ce repas.

- Trop vrai. Ta présence me porte à oublier l'immédiat.

Son rire fait résonner en mon coeur des échos paradisiaques. Je tiens sa main dans la mienne; on dirait un oisillon tout chaud niché entre mes doigts. Son regard doré me caresse longuement; elle veut se faire oublier sa volte-face. Le mien pénètre dans ses yeux y trouvant la résurrection d'une passion.

Elle m'invite à prendre le thé chez elle et la soirée se termine dans une étreinte langoureuse qui imprégne nos coeurs l'un de l'autre.

- À bientôt, Fleur de beauté.

- Oui, mon amour.

- Je t'appelerai.

- J'en serais ravie.

Au cours d'une de nos randonnées, nous nous étendons sur la plage après nous être baignés dans une eau d'une tiédeur irréelle. Nous sommes couchés sur le dos, contemplant les coraux célestes miroiter dans la voûte d'un clair-obscur comme si le firmament était éclairé par un soleil pâle. Nos yeux sombrent bientôt dans le paysage mirifique du rêve. La berceuse jouée par la harpe marine nous a introduits dans un paisible sommeil.

Nous réveillant, nous nous mettons l'un près de l'autre, nous admirons le spectacle d'une nature qui n'a comme panorama que la mer. L'onde est secouée d'un léger frémissement à peine perceptible où la lune effleure chaque flot de sa caresse chatoyante. Un silence plein d'aveux emplit nos coeurs. Nous regardons l'immensité, trop réservés encore pour exprimer des sentiments à fleur d'âme. Mon bras, sous l'exquise inspiration de Cupidon, enlace Fleur de beauté. Sa main enchaîne la mienne. Nos lèvres se rapprochent pour enflammer nos ébats. Jusqu'au milieu de la nuit, sobres de paroles, nous passons des heures nuptiales.

Souvent, nous ne causons pas dans la crainte de profaner le mystère sacré de l'amour qui nous fait communier l'un à l'autre en une béatitude ineffable. Dans le silence du paradis nocturne, nos âmes méditent beaucoup plus qu'elles ne parlent au moyen des confidences. Sous le coup d'un élan irrésistible, nos corps s'entrelacent.

Lorsque nous déambulons, lors de nos promenades sentimentales, après avoir échangé nos impressions, la symphonie qui l'habite s'exhale en une suavité inexprimable. Je me tais pour m'imbiber de cette extase. Fleur de beauté traduit en japonais les aspirations de tout son être. Les paroles qu'elle chante, même si leur portée m'échappe, me font croire qu'elle dialogue avec des êtres bienveillants.

Continuant notre périple, nous arrivons, face à des récifs qui étalent leurs bouquets de coraux où s'allument les teintes de rouge, de rose et de blanc. Ce sont les diamants des côtes. Ils prennent les formes les plus variées de la joaillerie. Le bleu de l'eau les enchâsse dans la lumière miroitante. Les anémones de mer, semblables à des corolles mouvantes, de leurs nénuphars, dentellent le croissant doré de la plage. Les fûts des forêts captent les brises aux harmonies de guitares pincées par les vents alizés. Des oiseaux de toutes les couleurs laissent des sillages mirobolants dans ce demi-jour où s'émoussent les rayons solaires formant des aigrettes d'un brun chaud, couleur d'or sur fond vert. La nature semble avoir délégué, ici, ses génies aériens pour peindre son chef-d'oeuvre.

- Je t'aime, Arthur.
- Je te chéris, Fleur de beauté.

Ce simple, aveu mutuel, que se font tous les amants du monde lorsqu'ils ne trouvent plus de mots pour épancher leur coeur au paroxysme du bonheur, prend pour nous un caractère particulier. Nous exprimons là un sentiment lourd de conséquences. Mais rien ne peut endiguer la passion amoureuse lorsqu'elle parvient au maximum de son intensité. Nos bouches puisent dans un baiser de feu l'ardeur nécessaire pour surmonter toutes les difficultés inhérentes à la vie amoureuse.

Puis fatigués de trop de bonheur, nous étendons des couvertures sur la grève; allongés, nous baissons parfois les paupières pour mieux retenir ces instants divins qui nous sont donnés.

Me retournant sur le côté, je contemple ma fiancée. Le visage auréole de grâce, cet être parfaitement modelé. Ses traits pourraient faire l'envie des modèles les plus recherchés. Ses yeux reflètent une lumière pailletée. Mais ce qui surtout constitue son charme particulier se traduit en un magnétisme chargé à la fois de passion et de langueur. J'oublie toute notion du temps, plongé dans cette adoration visuelle lorsque ma bien-aimée, qui semble du moins se laisser admirer sans aucune tentation d'orgueil, exprime tout haut sa pensée:

- Je me réjouis de ne pas trop te déplaire.

- J'admire ta modestie; justement, je me demande pourquoi le ciel a-t-il permis que je rencontre un tel ange de beauté.

L'amour s'installe dans les replis de mon âme en un flux si fougueux qu'une ivresse divine transfigure soudain tout mon être: je vis l'amour. Ce sentiment indéfinissable me transporte: il me semble renaître intérieurement. Elle me regarde longtemps, atteignant ainsi la profondeur de mon être. Ces instants, je ne les oublierai jamais, ils font partie de mon âme.

Les balades à pied nous fascinent. Nous adorons marcher, tout simplement. Le printemps s'annonce aux arbres. Partout, les bourgeons multiplient leurs étincelles roses sur les guirlandes sombres des branches. Nous nous arrêtons afin de mieux contempler le renouveau qui surgit aux abords des temples et des pagodes, ces ruchers de pèlerins où carillonne la note de la prière au sein de cette atmosphère imprégnée de l'encens des milliers de bâtonnets parfumés.

Nos regards, tels des reliquaires, en captent la splendeur. Nos coeurs, par télépathie, partagent ces émotions spirituelles. Une extase de contentement intérieur illumine la figure de Fleur de beauté.

Elle s'appuie sur moi, abandonnant sa tête à la sympathie de ma joie. Nous restons là une heure qui dure une minute, échangeant, moi cette délectation que j'éprouve, elle, ce délire que je lui procure.

Nous admirons la neige qui commence à tomber du ciel gris perle. Au début, une fine douche pose des matelas sur les toits. L'abat s'accélère. On dirait à présent la danse d'une nuée de blancs bombyx exécutant dans l'air terne et atone des polkas ou des farandoles de farfadets. Quelques-uns viennent s'aplatir sur la croisée qu'ils effleurent un moment pour crouler le long de la plaque de verre et s'évanouir instantanément. En l'espace de quelques heures, l'avalanche a roulé des tapis dans les rues, badigeonné de blanc les murs des maisons, posé des édredons immaculés sur les toits, emmitouflé les arbres.

Lorsque je suis en compagnie de Fleur de beauté, je tressaille jusqu'au fond de l'être. Ainsi nous étourdissent un moment les arômes trop capiteux! Mes yeux se remplissent d'une sérénité inconnue. Cette présence féminine parfume ma vie. Ne plus humer que cet enivrement, quel sort béni!

Je lui lisais quelques-uns de mes écrits poétiques, ce qui plaisait naturellement à ce coeur avide de tout ce qui s'appelle amour et beauté. Pour sa part, ma fiancée me citait des bribes ou de courts extraits de passages de la littérature japonaise. Je me limiterai à quelques lignes pittoresques particulièrement caractéristiques de l'âme nippone et des splendeurs de ce pays unique au monde en sites édéniques.

Les poètes chinois imaginent les collines pleurant leurs forêts ravagées. Selon la parole fameuse d'Iyeyasu, l'épée était l'âme du samouraï. Le poète Tahito, dès le VIIe siècle, n'avait-il pas déclaré que le saké était la seule solution de tous les problèmes de la vie?

Ce que les sept sages cherchaient
Ces hommes du bon vieux temps,
C'était, sans doute le saké.
Au lieu de pérorer
Savamment, avec un air grave,
Comme il vaut mieux boire du saké,
S'enivrer et crier fort!
Puisque nous savons
Que la mort viendra tous enfin nous chercher,
Soyons donc joyeux
Tant que nous sommes en vie.
Le joyau même qui scintille dans la nuit
Vaut moins pour nous que cet élan du coeur
Que fait naître en nous le saké.

Le saké* est le don merveilleux du ciel. Bu en petite quantité, il dilate le coeur, relève l'esprit abattu, noie les soucis et fortifie la santé. Il aide ainsi l'homme à se réjouir avec ses amis. Mais celui qui en boit trop perd le respect de lui-même, devient bavard et profère des paroles déraisonnables, à la manière d'un fou... Use du saké juste assez pour te procurer une douce

---

*Le saké, boisson traditionnelle des Japonais, se prend lorsqu'on mange ou sans nourriture. Il se sert chaud dans de petites tasses; on le verse au moyen d'un flacon plutôt menu dont la poterie est décorée artistement, selon la tradition.
Le saké provient du riz cuit dans l'eau et qu'on a laissé fermenter, aussi son goût ressemble-t-il plus à celui de la bière qu'à la saveur du vin, même si le pourcentage d'alcool atteint 17.
On peut s'enivrer si l'on en boit trop, mais il n'est pas si capiteux que voudrait nous le faire croire la tradition folklorique.
On compte plusieurs sortes de saké. Le plus réputé, le tokhyu (shu); ensuite le ikkyo (shu), le nikhyu (shu). Venu de différentes régions du Japon, ces désignations n'indiquent pas la saveur mais la qualité du vin. D'autres distinctions existent: vin sucré, vin fabriqué à base de riz consistant, etc.
Lorsqu'on boit de la bière, du saké ou autres boissons en compagnie d'une personne japonaise, la règle élémentaire de l'étiquette porte à remplir son verre ou sa tasse après qu'elle vous ait servi(e). Tenez votre récipient à une hauteur convenable cela l'accommode mieux. Lorsque vous n'en voulez plus, si elle vous en sert de nouveau, posez la main à plat sur votre vase; si elle en désire encore prenez la bouteille, de ses propres mains et servez-la. Elle appréciera votre geste.
La personne la plus âgée considère comme un honneur d'offrir sa tasse à l'invité et de la remplir. Celui-ci à son tour, rince le vase et le lui retourne, puis le remplit.
(Ian McQueen)

gaieté et ainsi tu jouiras de la beauté des fleurs qui viennent de s'épanouir. C'est folie que de boire trop et de souiller ainsi ce précieux don du ciel!» (Ekken) Les pages qu'elle me lit traduisent adéquatement les aspirations de la race ainsi que sa philosophie.

«La vie est un long voyage que l'on fait chargé d'un lourd fardeau. Que ton pas soit lent et sûr afin de ne point trébucher. Persuade-toi que l'imperfection et la gêne sont le lot naturel des mortels et il n'y aura en toi ni mécontentement ni désespoir. Lorsqu'un désir d'ambition s'élève dans ton coeur, rappelle-toi les jours de détresse que tu as traversés. La patience est le fondement de la paix et de la sécurité perpétuelles. Considère la colère comme ton ennemie. Si tu ne penses qu'à ce qu'il te faut conquérir et non à ce qu'il te faut vaincre en toi, malheur à toi! On peut tout craindre pour toi. Tâche de penser à tes propres fautes plutôt qu'à celles d'autrui.

Ne pensez pas que Dieu soit loin de vous, mais cherchez-le dans votre coeur, car le coeur est le sanctuaire où Dieu réside.» (Kyuso).

«Quoique vous estimiez stupide la tradition de votre famille, ne la brisez pas car elle renferme toute la sagesse de vos aïeux. Ne laisse pas passer un jour sans éprouver de la joie. Ne permets pas à la stupidité d'autrui de te tourmenter. Souviens-toi que depuis le commencement du monde il y a toujours eu des fous... Ne nous laissons pas accabler, ne perdons pas notre joie parce qu'il arrive que nos enfants, nos frères, nos amis soient égoïstes, ignorent les efforts que nous faisons pour les changer...

Si nous faisons de notre coeur la source de toute joie, si nous savons la puiser avec nos yeux et nos oreilles et nous défendre des désirs d'en bas, notre bonheur sera parfait, car nous deviendrons maîtres des montagnes, des eaux, de la lune et des fleurs. Nous n'avons besoin de personne pour les posséder, ni de payer un seul sen; elles appartiennent à tous. Ceux qui peuvent jouir de la beauté qui est dans le ciel et sur la terre n'ont pas à envier le luxe des riches, car ils sont plus riches qu'eux... La figure du monde change sans cesse. Il n'y a pas deux matins ou deux soirs semblables... Tout d'un coup, il vous semble que toute la beauté du monde s'en est allée. Mais alors la neige commence à tomber et l'on s'éveille un matin pour trouver le village et les montagnes couverts d'argent, tandis que les branches nues des arbres semblent revivre sous des fleurs...» (Ekken)

Comme tant d'autres philosophes, il trouva dans la nature le suprême refuge du bonheur.

Pour les Japonais, un poème doit être le souvenir discret de l'inspiration d'un moment.

«... Il trouva dans les temples d'Ise la paix mystique qu'il cherchait.

... Il représente bien l'idée qu'une femme se fait d'un homme qui est tout sentiment et séduction, qui est sans cesse occupé d'une femme ou d'une autre et languissant d'amour.»

La forme du haïku, simple énoncé de trois lignes, fier de ses 5, 7, 5 syllabes, soit 17 en tout.

Les forces de la nature font du peuple japonais celui qui figure en tête de liste pour s'imbiber de l'amour du cosmos. Les esprits habitent les astres, les arbres, les plantes, les insectes, les bêtes et même les hommes. Des déités planent au-dessus des maisons, pétillent dans la flamme du foyer et scintillent dans les reflets des lampes et des néons. On dirait une réplique de la Genèse: «Et l'Esprit planait sur les eaux...».

Les Nippons comparent leur union à l'azur, la mer, la terre, non seulement par le culte qu'ils leur vouent, mais en faisant de leur pays une corbeille. Les jardins sont minutieusement cultivés, les maisons deviennent des serres miniatures.

La grande leçon que nous donne le Japon, (synonyme de fleur) est d'apprendre à communiquer avec la nature, d'apprivoiser le règne végétal au point de ne plus vivre que de sa beauté palpable. De cette expérience, demeure en moi une sensation de paix. Je m'explique ainsi pourquoi un besoin de mysticisme m'envahit, m'apportant une joie intime que l'on savoure loin de la cacophonie des villes et de la recherche avide des affaires ou des distractions effrénées d'activités ludiques.

Le monde floral possède un langage abstrait qu'une âme libérée des passions de toutes sortes peut seule comprendre. On se laisse alors imprégner par l'esprit des anciens sages nippons, on vibre aux émotions des poètes les plus représentatifs.

Ce qui frappe le plus l'étranger qui étudie en profondeur ce pays, c'est le lien entre la floraison naturelle ou artificielle et les principes religieux, philosophiques du bouddhisme à forte tendance confucianiste et shintoïste. Il suffit de voir une feuille détachée par le zéphyr se poser sur la pelouse et, par contraste, d'admirer l'éclosion d'une jeune pousse pour saisir sur le vif le côté éphémère de ce qui existe, enseigné par les fondateurs de ces religions, ce que les Japonais comprennent d'instinct et manifestent dans leur comportement.

Au Pays du Soleil levant, l'aube, la splendeur d'une corolle, la courbe gracieuse d'un rameau font réfléchir. Leur magie opère, unissant dans une même prière la terre, l'homme et le ciel. Qui séparerait la séduction que produisent la symphonie des couleurs et l'art des formes d'avec les valeurs spirituelles et l'union à la divinité ne jouerait qu'un rôle d'observateur, non celui de méditatif.

On ne peut se vanter d'avoir vu le Japon, sans se départir fondamentalement de notre mentalité basée sur la logique et le pragmatisme. Le génie oriental puise ses racines dans l'énigmatique, les sous-entendus. Sentir, en l'occurrence, équivaut à ce que nous appelons chez nous apercevoir. Il nous faut troquer notre mentalité d'admirateurs superficiels contre la perspicacité des maîtres orientaux si nous voulons percer les correspondances du monde visible.

Les créateurs de beauté, au Japon, sont avant tout des penseurs pratiquant une psychologie qui les porte à maintenir l'équilibre entre leur moi et le principe spirituel de l'univers. On n'y parvient que par une ascèse portant sur la disparition de sa propre individualité. On n'atteint à cette spiritualité qu'en imitant les fondateurs de leurs religions dont les bonzes, ces moines et contemplatifs orientaux, véhiculent l'esprit. Ils se recueillent afin de se mettre dans l'état de grâce intérieur qui consiste à se purifier de toute pensée terre à terre afin d'être dispos physiquement et mentalement. Alors seulement, ils pourront admirer, dans le sens mystique du mot, les merveilles qui les environnent.

Qu'on se rappelle les premiers prêtres bouddhistes, inspirés par le shintoïsme, la foi primitive des Japonais; leur éthique se traduisait dans la maxime que les dieux étaient identifiés à la nature de telle sorte que tout être extérieur grâce à sa beauté, sa forme bizarre, son émanation veloutée faisait partie de l'essence divine.

Cette alliance de la divinité avec le monde créé n'était obtenue que si les déistes ne passaient par «la voie des fleurs» sans cela, ils ne pouvaient parvenir ici-bas au nirvana ou à la paix de l'âme et la sérénité du coeur. Quelle humilité et abnégation de soi ne présupposent ces principes typiquement orientaux!

Sans doute, les saints et les mystiques de l'Occident ont vécu, sous une appellation différente, cette union cosmos-ciel. Saint François d'Assise surpasse même tous ces adeptes de la nature, dans ses allégories au sujet de Dieu, pour ne citer que lui. De son côté, Teilhard de Chardin peut se classer en tête de liste, comparé à ces protagonistes du monde visible, de l'univers astral, parties intégrantes de l'eau-delà des sphères.

Les parterres, au Japon, relèvent des valeurs universelles dans la composition de la structure, la forme, l'amalgame des couleurs. La simplicité donne à l'ensemble la note d'humilité qui caractérise l'agencement des mondes. Point de symétrie dans la disposition des plantes, voilà ce qui crée l'élégance des mosaïques florales autour des maisons et surtout des temples. Quant aux teintes, vives ou mates, elles rappellent le contraste, loi qui présida à la création; cependant, ces nuances embaument la paix de ces lieux retirés.

On s'explique alors pourquoi les plantes et les fleurs, que l'on maintient en vie en leur envoyant tant d'amour et les entourant de beaucoup de soins, servent d'offrandes à la divinité: le miracle de leur existence constitue un don votif digne d'accompagner les prières vocales adressées au Bouddha. Un moine bouddhiste, surnommé Senmu, en l'année 621 entretient la profonde conviction que les offrandes florales, dignes d'être offertes à la divinité doivent être disposées avec tant d'art qu'il en ressort le plus de grâce possible. Le Créateur a en effet confié aux fleurs la tâche d'établir, par leur beauté, l'harmonie entre l'esprit et la matière, entre l'homme et la nature. O no-no-Qmoko, de son vrai patronyme, consacra sa vie entière à répandre cet art et à prêcher le Kado, la voie de la paix à travers les fleurs. Les Nippons dans leur culte de la nature savent de qui tenir.

Faisant partie de toute manifestation religieuse, les compositions florales, par leur petitesse, symbolisent la doctrine bouddhiste Zen qui exalte la vie simple et affirme que l'homme peut surmonter les préoccupations du monde et atteindre la sérénité d'esprit et la force de caractère auxquelles il aspire. Les principes de la philosophie Zen trouvent leurs répercussions dans les ensembles floraux où se manifeste le mépris de tout ce qui est superflu.

Des expositions de fleurs se tiennent encore chaque année à l'automne et prouvent que toutes les couches de la société japonaise non seulement s'y intéressent, mais ce qui demeure d'une importance capitale ne peuvent dissocier cette beauté naturelle de l'esprit religieux si ancré dans l'âme et le comportement des Nippons.

De même que la spécialité des moines d'Occident, comme nous pouvons le remarquer dans l'étude très fouillée de Montalembert, s'attache à la transcription des manuscrits très anciens, ainsi pouvons-nous dire que celle des moines d'Orient se rapporte à la façon correcte de disposer les fleurs afin de placer leurs chefs-d'oeuvre dans les temples.

Un des styles de l'art nippon, le shoka, ou fleurs vivantes, représente dans ses éléments principaux, le concept philosophique où l'être humain sert de médium entre l'homme et la divinité.

La disposition des plantes et des fleurs au Japon, non seulement relie la nature à l'extraterrestre, mais compose un poème qui permet à l'âme humaine d'exprimer ses diverses aspirations. Ainsi, les narcisses, les orchidées et les pivoines prédisent aux nouveaux époux une vie matrimoniale prospère et durable. Par contre, les hortensias, les nymphéas jaunes, les gardénias sont de mauvais augure. Quant aux camélias, vu que leurs corolles se détachent prématurément de la tige, ils annoncent une courte vie.

Le lotus blanc, fleur symbolique par excellence du culte de la religion bouddhiste s'élevant des eaux marécageuses, enseigne la pureté, gage de pérennité. Sa croissance indique à ces débuts l'avenir; lorsqu'il atteint son plein épanouissement, il rappelle le présent et naturellement, ses capsules déflorées remémorent le passé.

Le pin, plante robuste et résistante, enseigne la longévité, la bravoure, la force, le succès, la persévérance. Une de ses branches mariée à une rose dans un ensemble décoratif représente le sexe masculin et la fleur, la féminité. L'allégorie va jusqu'à rappeler l'espèce humaine et sa condition éphémère. Le pin, le bambou et les fleurs de pruniers réunis évoquent l'idée du nouvel an: ce dernier arbuste, par ses petits rameaux fleuris, rappelle la pureté, le courage, la résistance et l'espoir parce qu'il éclôt sous la neige. Le bambou commémore richesse et longue vie. La plus haute tige correspond à la supériorité de l'homme sur la femme. Admirons ici le génie japonais féru de correspondances. C'est du Baudelaire avant le temps. Le saule pleureur caractérise particulièrement la sagesse de ceux qui s'adonnent à la frugalité. Ses lianes liées en noeuds servent à l'occasion du nouvel an et certifient, lors d'un au revoir, que le lien profond de l'amitié résistera en dépit de l'éloignement.

Les fleurs du pêcher qui décorent le début du troisième mois se confondent avec l'adolescence éphémère à l'occasion de la fête des petites filles. Par contre, l'iris s'allie à la force et au patriotisme; ce dernier vocable provient du mot japonais shobu, synonyme de prestance physique. Sa feuille lancéolée rappelle la lame d'une épée d'où, par association d'idées, ses fleurs et ses feuilles, à l'occasion de la fête des garçons le cinquième jour du cinquième mois, leur souhaitent robustesse et sentiments patriotiques.

Les arbustes à baies rouges, ainsi que nos feuilles de houx, à l'occasion du premier de l'an, offrent la prospérité. On n'oublie personne: les arbustes à baies s'adressent à ceux qui prennent leur retraite avec la certitude que cet âge d'or, ordinairement consacré à des oeuvres altruistes, sociales ou artistiques portera beaucoup de fruits, vu l'abondance des baies.

Les Romains plaçaient des dieux partout: depuis le seuil de leurs demeures jusqu'aux événements quotidiens. Les Nippons accordent une vertu à chaque brin d'herbe, comme à chaque arbre. Cette religion colle à la réalité du quotidien, voilà pourquoi elle s'applique à la majorité de la population.

Savoir détecter le message de la flore dans ce pays exige non seulement un sens artistique inné autant qu'une imagination créatrice, mais demande beaucoup de sensibilité, une grande modestie.

11

Seconde Carrière

Fleur de beauté me confie:

-Je voudrais suivre des cours de médecine au Canada afin de me familiariser avec le français jusqu'à maîtriser suffisamment ta langue pour pouvoir pratiquer dans un de vos hôpitaux. Cette idée de retourner définitivement dans mon pays m'enchante. De mon côté, entendre parler le japonais à journée longue depuis des années devient agaçant. En plus, la nostalgie du Québec me ronge au point que je me dégoûte du genre de vie que je mène ici. Même les sites les plus merveilleux n'ont plus pour moi autant d'attrait. Le souhait de ma compagne me fait renaître.

- Dis-moi, chérie, quel motif t'a poussée à choisir cette seconde carrière?

L'exemple de mon père d'abord qui a séjourné plusieurs fois en Amérique. Ensuite, le désir d'habiter une contrée que l'on m'a tellement vantée avec raison, j'en suis certaine.

- Si tu savais comme tu me combles!

- Je te comprends et m'en félicite. Quand partons-nous?

- À toi de décider.

- Le temps des préparatifs indispensables et nous nous envolons.

Je la presse sur moi pour lui témoigner toute ma reconnaissance.

Ayant hérité de mon père une fortune assez substantielle, nous nous installons dans le quartier Rosemont.

Fleur de beauté suit les cours à l'Université de Montréal. Elle obtient d'une façon très satisfaisante les diplômes obligatoires, prouvant ainsi qu'elle était la digne fille de son père.

Pour ma part, vivant dans l'aisance, je choisis comme bénévolat d'être une présence pour les malades dans divers établissements hospitaliers. Tous les cas qui vont illustrer mon séjour dans ces lieux sont authentiques. Si je tais le nom des hôpitaux, des médecins et de leur personnel ainsi que des malades concernés, mon but s'avère double: d'abord ne pas dénigrer le renom de ces établissements à cause de quelques exceptions qui jettent le discrédit sur les institutions du genre. Toutefois, les coupables cités méritent d'être dévoilés, confondus et bannis de leur profession. Toute personne ou institution portant le même nom que celui mentionné ci-après est pure coïncidence. Pour constater que je n'exagère point, on a qu'à consulter les dossiers des endroits dont je parle au temps où je visitais les malades en question. Il m'arrive de citer des faits dont je n'ai pas été témoin oculaire ou auriculaire; je me suis basé sur le sens humanitaire et l'honnêteté de ceux qui m'ont honoré de leurs confidences. Libre alors au lecteur ou à la lectrice de ne pas me croire, à tort d'ailleurs, car les exemples foisonnent de nos jours et pires parfois.

***

Fleur de beauté obtient le poste de directrice générale à l'institution Joseph Gagnon; elle insista pour la diriger à cause justement des scandales qui se multipliaient à cet hôpital psychiatrique. Elle y demeura cinq années essayant de toutes ses forces d'améliorer la situation. Ni sa bonne volonté, ni son talent ne vinrent à bout de corriger les abus impensables de la part de professionnels dans un domaine où l'on se doit tout particulièrement d'être consciencieux, humains et compréhensifs. Cet établissement, après avoir été évacué évidemment, aurait mérité qu'on y mette le feu, vu les atrocités qui s'y commettaient, Fleur de beauté me citait cet exemple.

«Une patiente, à la suite des émotions trop fortes subies à la mort de son père qu'elle adorait, était devenue maniaco-dépressive. À son arrivée, se débattant pour se libérer des ambulanciers qui la menottaient de leurs poignets, elle fut étendue sur un lit creusé dans le plancher de ciment et on lui attacha les chevilles et les bras. Elle y passa la nuit dans l'obscurité ce qui augmenta son traumatisme. Elle avait beau crier à s'arracher les poumons, personne ne se présenta, même pas pour lui permettre de satisfaire ses besoins naturels.

Les jours suivants, le docteur Eikman la bourra de médicaments à fortes doses, lui donnant jusqu'à huit comprimés de lithium par jour, de quoi la rendre folle ou la garder durant un séjour illimité dans ces murs. Cet internement prolongé serait certainement arrivé si les gardiens et les préposés la voyant si abattue, si mélancolique n'étaient allés rencontrer en groupe son médecin, le menaçant de le déclarer et de lui faire perdre son poste s'il ne lui prescrivait pas une médication convenable. Sous la menace, il se montra un peu plus compréhensif et la malade quitta l'hôpital un mois après. Malheureusement, le psychiatre en question demeura en fonction, faisant subir à d'autres les effets de son incompétence et de sa cruauté.»

À Montréal, le docteur surnommé «Pile-patates», oblige une de ses clientes à prendre 5 pilules avant le déjeuner, sinon elle ne mangera pas, 5 avant le dîner et 5 avant le souper sous la même menace, plus 5 avant le coucher et 2 autres, soit un total de 22 par jour et cela pendant les trente jours qu'elle y séjourna. Au total, 660 pilules en un mois. Fait aberrant, la malade n'avait pas amélioré sa situation vu qu'il prescrivait la même médication le trentième jour que le premier. Comme effets secondaires, elle souffrit de nausées et eut la diarrhée les quinze jours qui suivirent sa sortie sans compter les retombées sur le cerveau. On aurait dit que le but de ce donneur de pilules était de garder les lits occupés afin de ne pas diminuer son personnel et surtout le gros salaire qu'il recevait aux dépens de ses patients. N'allez pas demander à ce pseudo-psychiatre de causer avec ses clients ne serait-ce que cinq minutes par semaine. Que fait-il le reste du temps? On le voit circuler parfois dans les corridors. Les pilules remplacent les marques de tendresse, de compassion.

À l'hôpital Jean-Charles Hébert, une jolie aliénée de dix-neuf ans est violée chaque nuit par des membres du personnel au su de la direction. On s'acharne surtout sur les personnes atteintes de la maladie d'Alzeihmer. D'autres passent des heures enfermés dans des placards.

Au Centre d'accueil sur la Rive-Sud, un préposé dans la trentaine lavait un vieillard de quatre-vingt-cinq ans. Celui-ci éprouvait de la difficulté à plier un bras. Une aide-infirmière de passage entend un crac. Il venait de lui forcer le membre en question, sacrant et s'impatientant. La douleur atroce faisait trop mal à la pauvre victime. Les larmes coulaient; il n'avait pas la force de se plaindre. La personne témoin de ce geste cruel avertit le coupable. Pour toute réponse il rétorque: «Si tu parles, je te fais perdre ton emploi.»

On laisse les hommes pénétrer dans la chambre des femmes et violer celles-ci même celles qui sont âgées. La seule recommandation qui est faite alors: «Il faut qu'elles consentent.» On ne s'enquiert pas si la consigne est observée.

Bref, la cruauté mentale, physique, la violence, le viol, le manque de respect à la personne humaine existent dans ces milieux où l'on devrait au contraire, à cause de la condition pitoyable à tous points de vue des personnes qui y sont placées, se montrer pleins de respect, de commisération et d'attentions pour diminuer leur stress, leur angoisse ou l'acuité de leurs tourments. Ces témoignages, je les racontais à Fleur de beauté qui en pleurait d'attendrissement, assistant à des incidents similaires.

Il serait naïf ou de mauvaise foi de nier cette méchanceté venant d'employés qui ne travaillent que pour le salaire ou ne cherchent qu'à satisfaire leur égoïsme et leur passion sadique.

Que faire pour diminuer ou abolir pareille situation? Le ministère de la Santé devrait envoyer des inspecteurs ou des enquêteurs anonymes se faisant au besoin passer pour des patients afin de remettre un rapport circonstancié sur ce qui se passe dans le milieu hospitalier. Si l'on juge opportun de procéder de cette façon dans les domaines de la drogue ou de la prostitution entre autres, pour en contrer les méfaits, les exploités des hôpitaux méritent encore plus d'être protégés car ils font partie des victimes sans défense et des proies faciles. Ne pas craindre le refus de la direction ou du personnel, le cas échéant. Cela sent déjà mauvais de s'opposer à pareille justice. Les médecins impliqués font partie de l'élite de la société au point de vue culture intellectuelle, mais nos gens de lettres, journalistes, animateurs, animatrices des mass médias, surtout nos élus au Parlement peuvent les confondre au besoin. Le peuple les paye plus que généreusement; en toute équité, il a droit à un rendement honnête ainsi qu'à la suppression de la fraude dans la prescription des médicaments et des pilules qui coûtent des millions de dollars aux contribuables.

Un autre moyen efficace serait de questionner les malades eux-mêmes sur ce qu'ils remarquent de bien ou de mal de la part de la direction de l'hôpital, des médecins, des infirmiers, des infirmières, des préposés ou autres. Certains pourraient donner des témoignages confus, incohérents, contradictoires, mais la plupart feraient des déclarations véridiques, très lucides avec preuves à l'appui. En se fiant à la moyenne des opinions, on a des chances de tâter le pouls de nos établissements hospitaliers surtout ceux qui reçoivent des gens atteints de maladies mentales, troubles pathologiques de la vie psychique.

Enfin, deux autres moyens aideraient énormément: la transmission de bouche-à-oreille: répéter à plus de gens possible ce qui se passe dans ces murs et, en second lieu, des émissions télévisées ou radiodiffusées au cours desquelles les patients, les anciens clients, les médecins, le personnel et la direction seraient invités à s'exprimer franchement dans un mutuel effort pour améliorer le sort de ceux et celles qui sont condamnés à souffrir. Un jour, ce sera NOTRE tour.

Le but de ces révélations n'est nullement de jeter le discrédit sur les maisons de santé de quelque nature qu'elles soient, mais d'inviter à se tendre la main pour se pencher sur le sort des plus démunis mentalement, psychiquement et physiquement. Si l'on ne donne pas le coup de barre dès maintenant, nous serons tous responsables en partie de ce crime social de lèse-respect de la personne humaine et irons à l'encontre du mouvement mondial qui prend de plus en plus de vogue. Il faut diminuer les abus du manque de conscience professionnelle et de l'appât du gain allant jusqu'à l'homicide à long terme que la loi ne punit pas, mais qui cause petit à petit la déchéance de l'humanité.

Fleur de beauté et moi formons des projets pour contrer ce fléau d'incompréhension en répandant avec ardeur les exemples d'altruisme et de désintéressement. Nous étions mus par l'aide accordée aux grands malades en les visitant au lieu de les fuir comme s'ils avaient la lèpre, remplaçant certains parents proches ou éloignés qui les délaissent, éprouvant de la honte à les savoir emmurés dans un hôpital psychiatrique. On ne choisit pas sa maladie et l'on peut en arriver un jour ou l'autre à souffrir du même mal qu'endurent ces laissés-pour-compte de la société. Que penserons-nous alors, si l'on nous traite de la même façon que nous avons agi envers eux? Jésus a dit: «J'étais malade et vous m'avez visité. Venez les bénis de mon Père, recevez en héritage le Royaume qui vous a été préparé depuis la création du monde.» (Mt 25, 34, 36) Comment peut-on avoir la conscience tranquille et se dire disciple du Christ si notre foi ne va pas jusque-là? Nous ressemblons aux Pharisiens que Jésus traitait «d'engeance de vipère», «de sépulcres blanchis» et de «serpents». (Mt 23,27, 33)

Un préposé voyant une patiente s'isoler dans un coin pour mieux fuir le groupe, s'approche d'elle, lui parle gentiment, amicalement et l'invite à jouer au ping-pong. La gaucherie de la nouvelle arrivée, vu que c'était la première fois qu'elle se livrait à ce sport, les faisait rire à gorge déployée. Elle lançait la balle sur les murs, au plafond. De rencontrer une personne sympathique avec qui elle a pu causer par la suite lui fit plus de bien moralement que la médication la plus appropriée.

La moindre attention, un comportement compréhensif deviennent le meilleur des baumes pour ces coeurs ulcérés et ces âmes hypersensibles. Mais ce dont ces malades ont le plus besoin, c'est d'une présence amicale. Rester aliter un mois durant ou plus, quel martyre! mais sentir la sympathie d'une main dans la sienne, quel réconfort!

J'ai connu une personne qui travaillait au Centre d'accueil. En plus de son travail qui était de donner les soins hygiéniques, changer les draps, etc., elle trouvait le temps de causer avec les personnes âgées comme si elle avait été leur fille adorée. Quelques-unes sont mortes dans ses bras. Avant de franchir l'ultime passage, elle trouvait les mots appropriés pour leur parler d'abandon, de l'amour infini du Dieu qui les attendait. Leur visage s'illuminait, leurs traits devenaient aussi beaux que durant leur adolescence. Elles la regardaient les yeux illuminés d'une lueur d'au-delà. Elle en pleurait d'attendrissement et de consolation.

Les malades sont très vulnérables. Il faut leur parler doucement et surtout ne pas leur mentir. Toute la journée, ils, elles pensent au moindre événement. Un mot dit d'une manière brusque peut les blesser mortellement. Par contre, une marque d'attention, un témoignage de tendresse leur procurent un bonheur inexprimable.

S'il existe sur terre une vocation qui exige de la bonté n'est-ce-pas auprès de ces proies de la solitude? À ce point de vue, ceux et celles qui s'engagent à se dévouer au chevet des personnes alitées, des agonisants, se doivent de leur apporter ce qu'il y a de meilleur en eux afin de devenir pour chacun, quel que soit leur état, une providence. Vous qui oeuvrez dans les hôpitaux, les hospices, les centres d'accueil, les foyers, vous avez embrassé la plus belle mission d'amour. Soyez-en dignes ou quittez-la!

Tous les patients aiment Fleur de beauté. Elle profite de ses rares moments de répit pour aller causer avec eux, soit à la salle de télévision, soit dans leur chambre. Ceux qui ne reçoivent aucune visite de leur parenté apprécient d'autant sa délicatesse. Ils se confient à elle comme à une intime. Passer des semaines, des mois, confiné dans un espace restreint, arpenter à journée longue le même corridor, ou pire encore, n'avoir pas le goût de sortir de son lit, sauf pour les repas, entretenir chaque jour l'idée fixe de vouloir quitter les lieux, quelle triste fin de vie!

Un homme, d'une quarantaine d'années arrive à l'hôpital. D'un physique remarquable: taille imposante, carrure d'athlète, il paraît difficile de résister au charme de son visage; une légère teinte de bronze s'harmonise avec ses cheveux bouclés d'un doré brillant. Quant aux yeux, leur azur enchante les regards.

La première fois qu'il rencontre Fleur de beauté, une surexcitation, accompagnée de convulsions saccadées, s'empare de lui. Tout naturellement, elle lui met la main sur l'épaule pour lui témoigner qu'ici on va le traiter avec compréhension et tendresse. Il se roule par terre et une écume coule de sa bouche contractée. La rage éclate dans ses yeux. On le dépose sur son lit. Il se calme instantanément; des larmes ruissellent sur ses joues, le drap éponge ses pleurs.

Le dossier indique qu'étant trahi par sa fiancée, il a voulu se venger. Il s'est d'abord jeté dans la drogue, se bagarrant dans les bars à la moindre contradiction. Attiré vers la résidence de celle qui l'avait quitté, il se promenait comme un insensé, menaçant de son poing furieux, les personnes qui se trouvaient à l'intérieur. La police était venue plusieurs fois l'avertir de déguerpir. Serré dans l'étau de bras vigoureux, il se débattait, tel un forcené. Une fois, au vu et au su de tout le monde, il s'amène avec un tas de journaux sous le bras. Il les lance sur la galerie, se précipite pour répandre l'huile avant qu'on ne puisse l'arrêter et y met le feu. Il reste là, les bras croisés, les jambes écartées dans une attitude de défi. Ni la sirène de l'ambulance, ni les lueurs d'alerte des phares giratoires ne le font bouger d'un pouce. Il se laisse menotter, fier de lui. On comprend que son geste atteste une aliénation mentale. Il séjournera à l'hôpital psychiatrique jusqu'à son procès.

Fleur de beauté n'abandonne pas la partie. Même si elle ne lui adresse pas la parole de crainte de provoquer une crise, elle lui sourit maternellement. Il la regarde quelques instants, puis ferme les yeux, abîmé dans un songe intérieur. Probablement que sa beauté lui rappelle le charme de celle qui n'est plus dans sa vie. Quand une personne entre dans sa chambre, il cherche avidement si ce n'est pas son médecin préféré, sinon il se détourne. Une fois, alors qu'il fait les cent pas dans le corridor, elle lui effleure la main. Une sensation étrange parcourt tout son être. Il se précipite vers son lit et se met à sangloter. Ces marques de tendresse lui rappellent la présence de Stella. Les journaux parlent du pyromane. Il doit comparaître devant le juge. Fleur de beauté s'intéresse à son cas. Elle voudrait tant que la peine ne soit pas trop sévère! Le jour de l'audience, lorsqu'il l'aperçoit, il se met à trembler. Elle a juste le temps de lui chuchoter à l'oreille:

-Courage, mon brave ami, je suis avec toi. Je prie beaucoup pour que tu ne te détruises pas.

Ces paroles affectueuses provoquent un effet bénéfique. Il se calme et lui murmure:

- Merci.

L'avocat de Gilles Duplantis paraît formidable. Ne pouvant nier la culpabilité de son client, il revient à la charge pour expliquer que dans les circonstances, celui-ci, ne se possédant pas, a perdu tout contrôle mental. Il insiste beaucoup sur le fait qu'ayant agi publiquement et ne cherchant pas à s'esquiver après le crime, Gilles Duplantis a mijoté une vengeance en rapport avec la souffrance qui le minait.

-Je suis le premier à désapprouver sa conduite, mais ne pas prendre en considération son état d'esprit à ce moment-là porterait à imposer une sentence outrée autant qu'injuste.

Fleur de beauté apprend que l'accusé pratique une profession des plus lucratives. Il est propriétaire d'une compagnie d'assurances très réputée à laquelle il a donné son nom. Elle s'explique alors pourquoi son avocat, maître André Morissette, l'un des as du barreau, défend sa cause.

Durant l'audience, Fleur de beauté observe tout à loisir l'ex-fiancée de Gilles. Elle aussi appartient à la classe aisée. Elle est vêtue d'un costume très chic qui s'harmonise merveilleusement avec son teint et la couleur de ses cheveux. Stella affiche une attitude hautaine. Son regard se pose d'une façon désinvolte sur son ex-fiancé qui incline légèrement la tête. D'un autre côté, ce dernier n'ose pas la regarder, hypnotisé par son charme, ainsi qu'il me l'avouera après la séance de la cour d'assises. Il ajoute:

-J'étais obligé de fermer les poings à me rompre les doigts pour ne pas me laisser aller à l'envie folle de lui sauter dessus et de l'étrangler.

Le verdict répond à la gravité du délit. Dix ans de pénitencier pour avoir voulu entraîner la mort des résidants.

Fleur de beauté le visite régulièrement. Au début, le dialogue se fait pénible. Ils sont si étrangers l'un à l'autre. Puis la confiance rapproche leurs coeurs.

- Pourquoi t'intéressais-tu à moi, à l'hôpital?

- Je me comporte ainsi avec tous les patients que l'on me confie.

- Ta gentillesse m'a beaucoup remué; je me sentais tellement seul et plein de rage après la scène qui s'est passée entre Stella et moi.

- Je te voyais très malheureux, raison de plus pour m'occuper de toi.

- Tu savais que j'avais voulu faire flamber la résidence.

- C'est écrit dans ton dossier.

Des bruits de clefs suivis de portes en fer qui s'ouvrent et se referment font un tintamarre d'enfer.

«Les visites sont terminées.»

Fleur de beauté m'avoue:

-Je ne sais ce qui m'attire vers cet homme, mais je sens que son existence reste marquée par un drame.

Au cours des visites subséquentes, elle apprend la vérité à son sujet. Son père l'initie très tôt à jouer à la bourse. Gilles possède un flair qui lui permet d'amasser en peu de temps une fortune de millionnaire. Il rencontre les magnats de la finance. Le père de Stella, banquier richissime, gère l'argent des Duplantis.

Lors d'un bal donné à l'occasion du dix-neuvième anniversaire de sa fille, monsieur Dumouchel présente Gilles à Stella. Après la danse, ceux-ci se retirent dans le jardin pour donner libre cours à leurs épanchements. Le frais du soir, l'éclat romantique de la lune, le baiser des flots sous la brise créent une ambiance complice. Les aveux scellent leur passion naissante.

Stella et Gilles se fréquentent depuis quelque temps. Ils envisagent de se marier sous peu. Pour souligner l'annonce de ce rêve, Gilles offre en cadeau à son amie un yacht de plusieurs millions de dollars. Que de voyages ils entreprennent d'une mer à l'autre! Sur ce château flottant, ils savourent toutes les délices de l'amour qu'aucun nuage ne vient obscurcir.

Au cours d'une excursion, ils invitent des amies et amis. La danse agrémente les soirées. Le vin coule à satiété. Est-ce dû à un commencement d'ébriété ou à une simple imprudence? Stella se penchant trop sur le bastingage tombe dans l'océan. Les chaloupes de secours sont mises à la mer. Un des invités l'aperçoit à quelque distance, se débattant avec désespoir. Il plonge, la rejoint, la ramène dans l'embarcation de sauvetage. Imperceptiblement, une liaison de plus en plus intense les lie irrésistiblement.

Gilles assiste au développement de cette relation. Les périodes de refus alternant avec celles de l'acquiescement, les éloignent puis les rapprochent davantage. Ils font de réels efforts pour ne pas trahir leur ami commun. L'amour prend le dessus et le jour fatidique arrive où Stella prévient Gilles qu'elle le quitte pour René.

Après sa libération, pendant plusieurs semaines, celui qui a été supplanté s'enferme dans le tombeau de sa douleur. Il se retire sur le bateau que Stella, en réparation de sa faute, lui abandonne. Le seul à le suivre est son cuisinier. Gilles part à l'aventure à la recherche d'une île où sa déception ne le fera plus souffrir. Rongé par un chagrin plus fort que son vouloir, il revient au port, plus exilé que jamais.

Se sachant traqué de toutes parts, il n'ose se montrer en public et se réfugie chez nous. Fleur de beauté ainsi que moi prenons de gros risques, soulevant l'animosité de la haute finance si jamais on apprenait que nous le protégeons. Avant qu'on ne découvre notre complicité, nous pouvons nous en tirer, mais après? Il suffit de la moindre imprudence pour que nous devenions la cible des sympathisants à la cause de Stella. Usant de tact et de circonspection, choisissant les mots les plus appropriés, nous lui faisons comprendre que nous ne pouvons l'héberger plus longtemps.

Il n'insiste pas, se prépare à nous quitter, nous témoignant ainsi sa plus grande gratitude. Nous décidons lors d'une nuit d'orage, alors que personne n'ose sortir de sa maison, que c'est le moment propice au départ. Il me donne une longue poignée de main, serre Fleur de beauté, avec plus de tendresse que si elle avait été sa propre mère. En sortant, ses larmes se diluent dans la pluie qui tombe à torrents.

Pendant plusieurs jours, nous n'avons aucune nouvelle du fugitif. Nous croyons qu'il s'en est tiré sain et sauf; probablement qu'il est retourné sur son bateau, fuyant les déboires qui auraient pu lui coûter la vie et menacer la nôtre.

Nous allions nous réjouir de notre réussite, lorsqu'un attroupement s'amasse autour de notre logis. Les agitateurs, agitatrices, sont payés probablement par ceux qui veulent se saisir de Gilles Duplantis. Nous téléphonons à la police. Elle vient perquisitionner. Sur le pas de la porte, nous déclarons que l'individu en question ne s'y trouve pas et ordonnons aux manifestants de se disperser. Avertis par la force constabulaire, ils doivent obtempérer à cet ordre. Quelques-uns reviennent, piétinent notre parterre et lancent des pierres sur nos murs.

Quel ne fut pas notre étonnement, trois jours après, d'entendre frapper discrètement à l'une des fenêtres! Nous hésitons à ouvrir. On insiste; nous nous décidons. Relevant son capuchon, Gilles Duplantis nous regarde avec attendrissement. Je lui dis tout bas:

- Quoi? Toi, ici. Mais tu veux notre perte!

- Loin de là. J'ai été découvert et viens vous prévenir que vous devez déguerpir le plus tôt possible.

Il me serre dans ses bras et donne une vigoureuse poignée de main à mon mari. Que faire? Nous devons prendre une décision. Nos nerfs vont craquer. Nous projetons un voyage au Japon, ayant soin d'avertir M. Dumouchel que nous allons rendre visite à David et à Chrysanthème, nos enfants. Nous lui promettons de lui envoyer notre adresse et le numéro de téléphone afin de communiquer avec nous, le cas échéant.

Plusieurs de nos ennemis nous accompagnent à l'aérogare comme s'ils doutaient de notre départ. Avant que nous franchissions les barrières, ils nous invectivent:

Traîtres, mouchards, restez-y au Japon. On n'a pas besoin d'une ratoureuse. Ici, on se respecte. La loi, c'est la loi.

Les derniers échos qui nous parviennent:

-Que vos enfants attrapent le sida! Vermine-ine-ine.

J'essaie de redonner confiance à Fleur de beauté qui appuie la tête sur mon épaule, entrecoupant ses sanglots de: «Je suis coupable», «Je n'aurais pas dû», «J'ai gâché ton bonheur», «Je ne me le pardonnerai jamais.»

- Au contraire, chérie, tu as fait pour le mieux. Tu as suivi la voix de ton coeur. Tu prenais sur toi, son malheur. Je suis fier de ma femme adorée.

Un moment, je crois que mon épouse va s'évanouir. Je fais signe à l'hôtesse de l'air. Elle apporte un calmant. Fleur de beauté s'endort, secouée par des soubresauts intermittents. Quant à moi, j'eus tout le temps de réfléchir aux conséquences qui résulteront du fait que l'ex-prisonnier soit resté introuvable depuis un certain temps et la disparition de Luc, le fils des Dumouchel. Pure coïncidence ou résultat des machinations d'un type qui exigera une forte rançon vu la fortune des parents. De plus, les angoisses et le traumatisme de ceux-ci sont pires que la certitude d'un meurtre, car ils rongent incessamment le coeur.

Gilles, apprenant par les journaux, que Fleur de beauté est retournée dans son pays, par sa faute à lui, ressent une torture qui le porte au désespoir. Elle s'est montrée si compatissante à son égard, quelle injustice de lui faire porter le poids de sa faute. Elle a été vilipendée, harcelée, il lui faudrait en plus payer la rançon de l'éloignement. En réparation, il déclarera publiquement son attitude compatissante, venant le visiter mensuellement alors qu'il était à l'hôpital et en prison. Dépassant son rôle de psychiatre, sa thérapie consistait davantage dans l'affection qu'elle lui témoignait doublée de compréhension que dans les pilules, bien que ce traitement ne soit pas négligeable.

D'autre part, Fleur de beauté s'en sortira tandis qu'il se condamne à brûler à perpétuité dans la géhenne de la privation à tous points de vue: liberté, amour, fortune. Se soustraire aux poursuites, se terrer tel un animal traqué et cela heure après heure, quel afflux d'excitation dépassant le seuil de la tolérance! Expiation supérieure et de beaucoup au crime, si énorme soit-il! Non, il n'a pas le droit de s'en vouloir jusqu'à endurer cette mort incessante. Il chasse de son esprit une telle punition. Sa faute, il la réparera en vivant.

Une idée germe. On l'accuse d'avoir enlevé Luc Dumouchel, il se mettra aux trousses des kidnappeurs. Il croit fermement qu'il troquera son infamie contre la libération lorsqu'on apprendra que calomnié, il a prouvé son innocence au risque d'être torturé moralement et physiquement.

La position de Gilles s'avère d'autant plus audacieuse qu'il ne doit pas être aperçu car ce serait désastreux pour lui et l'enfant. Les enquêtes précédentes opérées par les limiers donnent quelques pistes. D'après leurs déductions, l'individu recherché, ou les individus se cachent dans le quartier de Saint-Henri. Rue Saint-Ambroise, on a découvert une auto abandonnée, une Pontiac 1986, couleur brune dont la peinture est défraîchie par endroits. La plaque d'immatriculation est changée. Un morceau du gilet d'un enfant est resté dans la fente de la porte, ce qui signifierait qu'il se serait débattu jusqu'à la limite de ses forces pour ne pas être emmené.

Le long du canal Lachine, désaffecté, se trouvent des manufactures, un champ, de grands espaces abandonnés, lieux propices pour s'emparer de quelqu'un comme otage. Gilles Duplantis se trouve un abri dans un hangar délabré. Il commence ses perquisitions.

Rôdant surtout le soir, se dissimulant le plus possible, Gilles épie à droite, à gauche pour voir s'il ne rencontrerait pas quelqu'un. Il tend l'oreille à l'affût d'une plainte. Après deux semaines, pendant lesquelles il est retourné chaque jour, rien de suspect n'aide la cause.

Une nuit, alors qu'il a décidé de plier bagages pour chercher dans les environs, il entrevoit une ombre se dirigeant vers l'emplacement de l'ancienne voie navigable. Il la suit, usant de précautions infinies. Au fond d'une excavation, il aperçoit l'homme qui pénètre dans un abri précaire. Il s'approche, se cache derrière quelques arbres rabougris. Il faut toute sa puissance de volonté pour ne pas entrer en trombe. D'ailleurs, combien sont-ils? Ne s'en prendront-ils pas à l'enfant sur-le-champ si leur cachette est découverte? Gilles n'est pas armé, eux le sont, certainement. Il reste ainsi des heures aux aguets. Tous finissent par s'endormir.

Il faut choisir une occasion propice où le garçon est seul. Duplantis échafaude quantité de moyens. Chaque jour, il retourne à une heure différente, étudiant les allées et venues de ces gens. L'un d'eux sert de garde du corps. Une fois, il constate que les quatre, deux hommes et deux femmes, quittent l'abri, sans l'enfant. Il attend qu'ils aient parcouru une longue distance, puis s'approche. Le chien, un berger allemand, jappe de toutes ses forces. Chose curieuse, aucun garçon n'apparaît. Gilles avait déjà vu l'animal et avait apporté de la viande. Celui-ci se précipite pour la dévorer. Il fait mine de lui présenter à boire. Il vient à lui jusqu'au bout de la laisse. Il lui assène un coup de hache sur la nuque. Celui-ci tombe raide mort. Le garçon ne se montre pas. Gilles s'approche. Impossible de voir à travers le rideau. Il frappe à coups de poing. Aucune réponse. Il est muni d'une pince-monseigneur; il force la serrure, Luc est assis sur une chaise, ligoté, bâillonné. Il coupe ses liens, mais desserre un peu le bandeau afin qu'il ne crie pas. Gilles porte des gants pour ne point laisser d'empreintes, sachant toutefois que les ravisseurs n'ont pas intérêt à rapporter cet enlèvement à la police.

Rendu chez lui, Gilles libère Luc de ses liens. Ce dernier, trop médusé pour articuler le moindre mot, il en profite pour lui expliquer la situation. Les premières paroles que Luc réussit à balbutier: «Je veux voir maman, papa.»

    - Monsieur...

    - Appelle-moi, Ami. Comment te nommes-tu?

    - Luc Dumouchel. Ami, pourquoi est-ce qu'on ne va pas dehors?

    - J'ai beaucoup de travail, à l'intérieur, mais ça va venir.

    - Quand?

- Bientôt.
- Bientôt, ça veut dire aujourd'hui ou beaucoup de jours encore?
- Ce soir, après le souper.
- Chic, alors. Je ne verrai plus jamais les méchants messieurs et les mauvaises madames qui m'ont volé à mes parents.
- Non, je te le promets.
- Pourquoi ont-ils fait ça? Un enfant a besoin de son papa et de sa maman.
- C'est difficile à dire, Luc, et tu ne voudrais pas qu'on le leur demande.
- J'aimerais mieux mourir. Ami, tu ne me feras pas de mal, toi, et tu ne me mettras pas un linge sur la bouche en le serrant très fort, et tu ne m'attacheras pas sur une chaise.
- Au contraire, je vais être très gentil.
- Pourquoi faites-vous ça pour moi?
- Parce que je porte bien mon nom, Ami.
- Je te crois.
Il me prend par le cou et me serre très fort. J'entends son coeur battre de joie.
- Comment se nommaient entre elles les personnes avec qui tu vivais?
- Le plus féroce s'appelait Gaston.
- Gaston qui?
- Seulement Gaston.
- Les autres?
- Mireille, Alain, Lucile.
- Comment te traitaient-ils?
- Bien, parce qu'ils disaient que je leur rapporterais beaucoup d'argent.
- T'ont-ils dit le prix?
- Ils parlaient de millions. Je n'ai rien, moi. Comment peuvent-ils penser ça?
- Je t'expliquerai plus tard.
- Non, maintenant. Ami, vous allez me vendre combien?
- Pas un sou. Je ne porterais pas mon nom si je profitais de toi pour faire de l'argent.
- C'est vrai. Vous n'êtes pas fâché contre moi pour avoir dit ça. J'ai été méchant, comme eux autres.
Luc éclate en gros sanglots. Je l'assois sur mes genoux et le presse contre ma poitrine.
- Bien sûr que non, je ne t'en veux pas et j'aurais répondu la même chose à ta place.
- Est-ce que vous allez retrouver ma maman et mon papa?
- Je l'espère. Je suis allé te chercher pour cela.
- Vous savez où ils sont.
- Oui, je les connais.

126

- Partons tout de suite.

- Nous ne le pouvons pas, si l'on sortait maintenant, on pourrait te découvrir.

- Non, je ne le veux pas.

Luc tremble de tous ses membres.

- Finis ton souper, nous allons prendre l'air.

- J'ai peur, ils vont encore m'attacher.

- Non, parce qu'ils ne savent pas où nous sommes. Promets-moi de ne pas crier, aussi de ne pas t'éloigner de moi.

Nous faisons une promenade au clair de lune et nous jouons à cache-cache derrière les arbres. Revenant là où je me terre, j'entends des voix au loin.

- Luc, fais comme Ami, baisse-toi.

- C'est un jeu.

- Oui, il s'agit de se faire le plus petit possible.

Je me couche dans l'herbe.

- Très bien. En plein ça.

- On dirait des grandes personnes qui parlent. Est-ce que ce sont eux?

- Chut!

Je fais signe que non de la tête. Luc me regarde en plein dans les yeux. Le sourire de l'innocence épanouit ses lèvres. Il m'enlace. Il n'y a aucune chance à prendre, d'autant plus que l'enfant a laissé quelques effets personnels. Ils feront certes une battue pour repérer les deux fugitifs. Ceux-ci s'éloignent de plus en plus. Luc est rendu au bout de ses forces. Je suis obligé de le porter dans mes bras. Heureusement, j'atteins le chemin. Le temps paraît interminable. Une voiture s'arrête, enfin. Un couple assez âgé nous aperçoit. La femme baisse la vitre.

- Madame, Monsieur, je me promenais avec mon petit garçon lorsqu'épuisé, il s'est endormi.

- Alexandre, regarde comme il est mignon!

- Merci.

- Ne vous en faites pas mon brave homme, je vais aller vous reconduire chez vous.

- Écoutez, je m'en vais chez mes parents, je viens de leur téléphoner, ils nous attendent.

- Où demeurent-ils?

- Boulevard Gouin.

- La distance me paraît assez loin.

- Conduisez-moi au prochain arrêt d'autobus et je me débrouillerai. J'ai fait le trajet plusieurs fois.

- Pas question, à cette heure-ci. Vous allez réveiller le petit. Pourquoi ne viendriez vous pas coucher à la maison? Nous avons plusieurs chambres inoccupées. Nous vivons seuls, cela nous fera de la compagnie.

- Clara, on y va.

- Vous êtes bien condescendants, mais vous me mettez dans la gêne. Que diront mon père et ma mère si je ne tiens pas à ma promesse?
- Bah! Ne vous en faites pas, monsieur.
- Beaulac, Jacques.
- Votre fils?
- Guy.
- Une visite, ça se remet d'autant plus qu'on annonce un violent orage dans la soirée.
- Je l'ai entendu aux nouvelles, durant le souper.
- En arrivant, téléphonez. Tout va s'arranger pour le mieux.
- Devant tant de bonté, je ne sais que dire.
- Le meilleur merci, c'est votre oui.

Luc, alias Guy, ne se réveille pas durant le trajet. Arrivé à destination, il sort de son sommeil. Pendant que nos hôtes préparent sa chambre, je l'amène aux toilettes. Avant que je n'aie le temps de parler, il me dit:

- Où sommes-nous? Ce n'est pas dans ma maison.
- Chez des personnes très aimables. Elles nous invitent à coucher ici.
- Pourquoi? Je ne les connais pas. On s'en va où on était.
- Écoute-moi bien, Luc. J'ai quelque chose de très important à te dire. Le monsieur et la madame vont t'appeler Guy.
- Mais c'est pas mon vrai nom!
- Au cas où les méchantes personnes te trouveraient.
- Elle vont venir ici.
- Non, mais par précaution.
- Je comprends. On joue au détective.
- Exactement. Tu es très intelligent.
- C'est amusant. Et toi quel est ton autre nom?
- Jacques Beaulac. Je ne m'appelle plus Ami, bien que je le sois toujours.

Il se contente de rire.

- Il faut tout changer, sans cela on va perdre dans le jeu. Toi, tu es mon fils. Je leur ai dit ça pour qu'il ne te découvre pas. Répète ta leçon.
- Guy Beaulac parce que je suis ton fils.
- Et moi?
- Jacques Beaulac parce que tu es mon père.

Guy va se coucher. On offre une bière à Jacques.

- Ou demeurez-vous, monsieur Beaulac?
- Rue Saint-Ambroise.
- Ça fait longtemps que vous habitez par ici?
- J'y suis venu à l'âge de deux ans.

J'allais continuer: «Et j'en ai quarante-deux.» J'ai pensé à temps qu'il valait mieux taire mon âge.

- Quelle profession?

- Agent d'immeubles.

J'ai l'impression de subir un interrogatoire. Je dévie la conversation.

- Vous êtes bien établis. Maison vaste, vue magnifique sur le mont Royal. Vous avez dû payer une petite fortune. Notre-Dame-de-Grâce est renommée pour sa population cossue.

- Nous sommes retraités. J'ai passé toute ma carrière à réviser des textes pour une imprimerie. Mon épouse, Clara, a embrassé la carrière d'enseignante. Nos économies nous ont permis de nous payer ce confort.

Nous bavardons quelque temps. Il m'indique ma chambre. Au déjeuner, nous entendons la voix de Guy:

-Papa, papa.

Gilles se dit en lui-même: «Il est intelligent ce petit, ne pas trahir notre identité.» Arrivé à table, il salue poliment.

- Bonjour monsieur et madame, je m'appelle Guy Beaulac.

À la dérobée, il me jette un coup d'oeil complice. Je lui souris largement pour lui prouver que je comprends son sémaphore.

- Tu as bien dormi, Guy, s'enquiert Clara.

- Oh oui! On est si bien chez vous.

Il allait ajouter quelque chose, je le regarde pour éviter qu'il ne se trahisse.

- Tu n'as pas fini ta phrase.

- Ce n'est pas important et puis j'ai très faim.

- Mange tes céréales et si tu as encore de la place, on va te donner une banane.

- Tout va rentrer, monsieur, croyez-moi.

- Là, tu me fais plaisir.

- Je vous suis très obligé Alexandre et Clara, mais dès que Luc aura terminé...

- Papa, je m'appelle Guy. Tu es distrait.

- Où ai-je la tête? Luc, c'est son frère jumeau, ils sont identiques. Je les confonds parfois quand j'ai l'esprit ailleurs. Je téléphone, si vous permettez, et nous partons.

- L'appareil se trouve dans le corridor. Pendant ce temps, nous irons faire le tour de la maison pour montrer nos belles fleurs à l'enfant.

- Ça, c'est chic, s'exclame celui-ci. Vite, papa, vite.

- Après son appel, Gilles avertit ses hôtes qu'on les attend le plus tôt possible et qu'il va falloir remettre la visite du parterre. Guy manifeste son mécontentement en tapant du pied et s'exclame, déçu.

- Ce n'est pas fin de ta part. Tu m'avais promis. Alors, moi aussi je vais être méchant avec toi.

Gilles lui empoigne le bras, prévoyant qu'il allait tout gâcher.

- Tu n'es pas mon papa. Tu t'appelles Ami et moi Luc.

- Lorsqu'il est en colère, il invente des histoires, c'est sa façon de se défendre. O.K. Guy, mais je t'avertis, il ne faut pas traîner. Ces personnes ont du travail.

- Bien non, ils m'ont dit tout à l'heure qu'ils avaient tout leur temps. Tu mens encore.

- Si tu deviens impoli, nous partons tout de suite.

- Viens mon chéri, nous allons nous promener dans le jardin et après, pour nous reposer, nous asseoir sur la balançoire.

- Je vous suis, madame.

- Appelle-moi Clara.

- C'est votre vrai nom.

- Bien oui!

Ils sortent.

- Il ne faut pas lui en vouloir, monsieur Beaulac. À cet âge-là, ils ne pensent pas aux conséquences de leurs paroles ou de leurs actes. Mais par contre, l'Évangile nous donne une leçon étonnante: «La vérité sort de la bouche des enfants.»

- Vous croyez que je ne me nomme pas Jacques Beaulac et que je ne suis pas son père.

Il me passe un paquet d'articles de journaux.

- Tenez, ma femme et moi nous avons découpé les renseignements qui traitent de la fuite d'un ex-détenu et dans le même temps de la disparition d'un enfant. Vos photos, la vôtre et la sienne, ne mentent pas. Tous les détails y sont consignés, rien à compléter.

- Qu'auriez-vous fait à ma place?

- Je ne sais pas, probablement la même chose, sous le coup de l'épreuve qui a bouleversé complètement votre vie.

- Vous allez me déclarer à la police, voilà pourquoi vous nous avec retenus jusqu'à ce matin.

- Votre conclusion m'oblige à dire comme Luc: «Vous n'êtes pas gentil.» Notre sourire prouve que nous nous comprenons bien.

- Hier, je savais que vous ne pouviez aller nulle part, motif principal de notre hébergement.

- Et aujourd'hui?

- Justement, je tiens à en discuter avec vous. Rester ici serait vous jeter dans la gueule du loup car nos voisins vous reconnaitraient probablement, tout comme nous l'avons fait.

- Que décider?

- Il n'en tient qu'à vous. Nous avons pesé le pour et le contre, Clara et moi. Nous possédons un chalet à Saint-Michel-des-Saints, près de Saint-Zénon, dans le comté de Berthier. Toutes les chances semblent de votre côté pour ne pas vous faire prendre. À vous de choisir.

130

- À première vue, vous m'offrez la solution idéale. Un inconvénient: il doit bien y avoir un policier qui fait la ronde, parfois?

- En effet, pour plus de sûreté, il s'en trouve un.

- Il paraîtrait étrange qu'il ne vienne pas perquisitionner, s'apercevant que le chalet est habité.

- Ça vous pouvez vous en convaincre; il rôde dans les parages plus que vous ne le désireriez.

- Je ne marche plus. Vous voulez m'envoyer en tôle.

- J'oublie un détail important. Ce représentant de la loi et moi sommes parents.

- À quel degré?

- Nous sommes nés de la même mère.

- Votre frère. Quelle assurance!

- Il vous protégera, sans nul doute. Si, par hasard, il arrivait des pépins, ce que je ne crois pas, Fernand vous avertirait à temps, s'il fallait déguerpir.

- Je lui téléphone pour lui annoncer que je vais le rencontrer avec Clara. Pendant ce temps, vous serez déjà installés.

- Une dernière question. Ses collègues, s'ils vont le voir, ne soupçonneront-ils pas quelque chose de louche?

- Ils se visitent très peu dans ces domaines, chacun ayant son territoire bien défini. Les rares occasions où ils peuvent se rencontrer sont lors des meetings de ceux qui patrouillent la région. De plus, mon frère possède assez de personnalité pour empêcher qu'on ne se mêle de ses affaires.

- Vous me rassurez; j'ai rencontré en votre couple une providence.

- Si vous voulez aller tenir compagnie à ma femme et à l'enfant, j'appelle et vous donne la réponse.

Gilles sort. Luc quitte précipitamment la balançoire et accourt vers lui.

- Viens, Jacques, je vais te montrer la beau jardin de Clara et d'Alexandre. Il y a beaucoup, beaucoup de jolies fleurs, de toutes sortes de couleurs. Ça sent très bon comme si on avait répandu des parfums partout. Ensuite, nous irons nous balancer. Vous voulez bien Clara?

- Certainement, mon chéri.

En passant, ils se font un signe de complicité s'avouant que tout est arrangé. Elle entre à la maison.

- Papa, la madame m'a dit que je n'avais pas été correct avec toi, qu'il fallait t'écouter en tout.

- C'est oublié, Guy. Fais-moi plaisir ainsi qu'à Clara et Alexandre, ne recommence plus.

- Je le promets.

Après environ trente minutes, on vient les chercher.

- Nous partons le plus tôt possible. Il faut compter environ une heure et demie de trajet. Mon frère a préparé le chalet, nous dînons là-bas.

- Papa, pourquoi on s'en va?

- Nos amis veulent nous faire visiter leur maison de campagne, loin d'ici, sur le bord d'un lac. Tu pourras aller en chaloupe.

- Je vais ramer.

- Si tu le désires.

- Bien sûr que oui.

- Est-ce que Clara va venir aussi?

- Certainement.

- Que je suis content, c'est ma maman.

Se collant sur Gilles, Luc lui fait signe de se baisser et lui chuchote à l'oreille: «Pas pour de vrai, comme dans un film.»

- Guy, tu as des secrets, veux-tu me les confier?

- Excusez-moi, madame, ça reste entre papa et moi.

- Ah bon! Je comprends et n'insiste pas.

Pour traverser la ville, Alexandre conseille à Gilles de s'étendre sur le siège arrière afin de ne pas être aperçu. Luc se trouve en avant entre Alexandre et Clara. Il a ordre de ne pas se lever.

- Pourquoi papa et moi on doit pas être vus?

- À cause des méchantes personnes; elles peuvent se promener en auto et vous découvrir.

- J'aime mieux ne pas voir le paysage plutôt que de retourner chez eux. Des vrais démons, tellement ils sont cruels.

- Dès que nous serons sortis de la ville, tu pourras aller t'asseoir en arrière avec Jacques, car le danger sera passé.

L'endroit choisi paraît idéal. On ne peut demander solitude plus désirable. Derrière le terrain commence une réserve d'Amérindiens. Après le repas, Gilles a un long entretien avec M. Leblanc, le frère d'Alexandre. Le policier se dit prêt à assumer la responsabilité de sa protection, mais lui conseille de ne pas aller faire ses emplettes au village. Il connaît un homme fiable, à sa retraite, possédant une camionnette, qui lui rendra ce service, moyennant une rémunération. Vu que ces petits profits servent à sa subsistance, son avantage l'obligera à taire le nom de ce client.

Le chef des autochtones, ses voisins en quelque sorte, se montre très sympathique aux Blancs. Il serait prêt à le protéger contre ses ennemis, son territoire étant fermé à tout étranger qu'il n'accepte pas. Heureux de telles conditions, Gilles envisage l'espoir de s'en réchapper, du moins dans un avenir immédiat.

L'idée fixe de mettre Fleur de beauté au courant, augmente son bonheur. Elle comprendra, sous la foi du serment, il va de soi, qu'il ne peut révéler actuellement détenir Luc en sa possession. Il lui annoncera, en temps opportun, quand il le remettra aux parents. Le fait de savoir que l'enfant se trouve en sécurité sous sa garde, lui causera une telle joie qu'elle se félicitera de s'être montrée compréhensive envers l'ex-prisonnier et qu'elle récoltera le fruit du grand service rendu.

Fleur de beauté très chère,

J'imagine la surprise que tu auras à recevoir une lettre de celui que tu croyais perdu à jamais. Je te reviens donc accompagné de Luc. Lui aussi t'a causé des inquiétudes effroyables, tu ignorais s'il vivait encore. Je vais résumer mon incompréhensible retour, quitte à te donner de plus amples détails subséquemment.

Au préalable, laisse-moi t'annoncer que mes tourments indicibles sont compensés par l'heureuse chance que j'ai de renouer, au moyen de relations épistolaires, nos bons rapports. J'ai conservé l'adresse de M. Yukawa; il te transmettra mes confidences. Je ne peux mentionner l'endroit où je demeure car dans le petit village où je suis tout est su et le bureau de poste me repérerait facilement, en compagnie de Luc. Je songe à le retourner à sa famille, l'ayant soustrait à ses kidnappeurs. Je t'exposerai la façon dont je compte m'y prendre. Fais-moi confiance. Je réussirai car j'agis pour toi autant que pour lui. Je ne peux me permettre aucun faux pas dans les démarches qui feront en sorte qu'il soit rendu chez lui sain et sauf.

Le but principal de cette mission très délicate consiste à ce que tu sois exonérée de tout blâme et que tu puisses revenir au Canada.

Toute ma gratitude, Fleur de beauté.

Affectueusement, Gilles

• *Ma chère Amie,*

Je sais que ton père apprécie à sa juste valeur ce que j'entreprends pour toi et qu'il considère ultrasecret le moyen que j'adopte pour te mettre au courant de la situation. Je te recommande de brûler chacune de mes lettres aussitôt lues. Cette précaution s'avère de la plus élémentaire prudence.

À partir des coupures de journaux, j'ai pu localiser à peu près l'endroit où pourraient se dissimuler ceux qui comptaient recevoir une rançon de plusieurs millions en échange de l'enfant. Je te relate le plus succinctement ma façon de procéder.

Mes lectures m'apprirent que les gens en question devaient se trouver dans le quartier Saint-Henri. Il leur fallait un lieu désert, l'ancien canal Lachine traversa tout de suite mon esprit. Je me trouvai un abri dans les parages. Observant les allées et venues de deux hommes et de deux femmes, je remarquai la présence d'un enfant. Ils le laissèrent seul bâillonné, les pieds et les mains liés. J'assommai à coup de hache le chien qui le gardait. Je transportai Luc chez moi. Je dus prendre le risque de faire du pouce. Je rencontrai un couple qui connaissait mon nom et celui du garçon qui m'accompagnait, grâce aux mass media. Dans leur grande sagesse, ils ne voulurent rien tenter auprès de la justice, sans connaître d'abord ma version. Dieu soit loué! Ils me crurent au point de me prêter leur chalet très retiré jusqu'à ce que Luc soit retourné chez lui.

Le frère du monsieur en question est policier. Il couvre le secteur où j'habite. Il consent à se taire à la condition que Luc retourne chez ses parents le plus tôt possible.

Voilà, chère Toi, mon odyssée. J'espère qu'à ma prochaine missive, tout se sera déroulé tel que nous le souhaitons tous les deux. Je compte au plus haut point sur tes prières. Si tu savais le poids qui pèse sur moi. Tu le devines. Je ne pourrai pas tenir le coup bien longtemps.

Celui qui se fie plus que jamais à toi.

Indéfectiblement, Gilles

Fleur de beauté,

J'en suis rendu à la dernière phase du drame qu'est devenue ma vie. Apprenant du policier dont je t'ai parlé, qu'une réserve d'autochtones se situe non loin du lieu de ma séquestration, de connivence avec lui, j'ai déposé Luc à l'entrée, en plein jour. L'agent de sécurité se tenait à l'affût. Le premier Amérindien qui vit l'enfant s'empressa de lire les renseignements que j'avais épinglés en évidence sur son veston. Je donnais le numéro de téléphone et l'adresse ainsi que le nom de Luc Dumouchel. Je me suis évertué à déformer mon écriture mettant d'ailleurs toutes ces coordonnées sur une écorce de bouleau.

J'ai appris à la radio et à la télévision que mes recommandations avaient été suivies à la lettre. Luc Dumouchel se trouve bel et bien chez lui. Je rends grâce à Dieu et à ton aide spirituelle d'avoir été exaucé si promptement. Il était temps, j'étais rendu au bout de mes forces.

Luc va certainement mentionner mon nom et relater comment je l'ai ravi aux mains de ces criminels. Durant un certain temps, je continuerai à fuir. Fuir, mot plus atroce que mourir, car on n'en finit pas d'endurer cette agonie. Je t'en supplie, Fleur de beauté, mon ange gardien, demande à ton Dieu que ton innocence et la mienne soient reconnues le plus tôt possible.

Je ne t'écrirai plus au cas où tu serais de retour à Montréal. Témoigne ma plus fidèle gratitude à ton père d'avoir servi de trait d'union dans ma correspondance avec toi dans cette affaire.

Au revoir jusqu'au jour bienheureux où nous nous retrouverons. Penser à cette félicité me donne la force de ressusciter à l'espoir, à la vie!

Gilles

12

Le vagabond

Gilles ne peut rester plus longtemps au chalet des Leblanc. Où se diriger? Il lui faut de l'argent de poche. Alexandre consent à lui donner une légère somme, question de tenter sa chance. Le vagabond doit éviter Montréal. Il choisit Thetford-Mines. Le paria s'engage chez un cultivateur qui vit seul au bord de la forêt. Il est à sa retraite.

Le nouvel employé laisse pousser sa barbe, porte des verres achetés à bon marché. Leurs lentilles n'affectent pas sa vue, mais cachent la couleur de ses yeux d'un brun ensoleillé. Il ne se rase plus, porte des habits de seconde main. Il s'établit à seize kilomètres environ de la ville qui contient l'une des plus importantes mines d'amiante du monde.

Gilles trime toute la journée. Celui qui l'héberge est âgé de soixante-quinze ans. Il se disposait à vendre sa ferme quand cet homme s'est présenté. Il n'a plus de parenté, ni d'amis; même les gens du voisinage ne le visitent pas, ce qui rassure d'autant Gilles. Le vieillard repose la fatigue de sa vie, se berçant à journée longue ou roupillant plusieurs fois par jour. Son engagé trait les vaches, laboure, récolte. Sa principale occupation, la coupe des arbres. Il alimente le foyer, veille à ce que le poêle ne manque pas de combustible. Il s'adonne avec ardeur à la tâche, oubliant ainsi le plus possible le passé ainsi que le présent. Quant à l'avenir, il n'ose pas trop l'envisager.

Son existence d'ermite a développé chez Gilles un côté sentimental. Lorsqu'il se détend, assis sur une souche vermoulue, il baigne dans la quiétude propre à la forêt qui devient pour lui une amie. Il se laisse pénétrer par cette paix monacale.

Après le souper, il s'aventure dans le bois et marche jusqu'à ce qu'il soit fourbu. Les oiseaux lui donnent une sérénade comme saurait le faire une fiancée. Il les écoute comprenant leur langage. Les animaux viennent à lui. Aux écureuils, il apporte des noix. Peu à peu, ils se familiarisent jusqu'à manger dans sa main. Les lièvres et les lapins le suivent car il devient leur pourvoyeur. Un orignal se dresse non loin. Sans bouger, il l'observe. Le museau dans le vent, au moindre bruit, cet élan du Canada s'élance avec une gracieuse agilité. Dans cette grande nature, il goûte une félicité qui se vit plutôt qu'elle ne s'exprime.

Odilon Garneau, celui chez qui séjourne Gilles, avare de paroles, respecte le mystère dont s'entoure le salarié. Se montrant très courtois lorsqu'ils doivent prendre leurs repas, il ne lui pose aucune question, ni sur le pourquoi de sa venue dans cette région, ni sur son passé. Les sujets de conversation portent sur les travaux de la terre et sa vie dans les chantiers. Ses anecdotes intéressent son auditeur. Il fut nommé contrôleur des chargements de billots parvenant à l'abri où ils logeaient. Quelques conducteurs arrivaient avec un voyage si lourd que les chevaux étaient crevés sans compter les nombreux coups de fouet qu'ils avaient reçus, obligés parfois de tirer la charge dans la neige jusqu'au ventre. Il avait obtenu ce poste parce que le patron se plaignait que son prédécesseur lui faisait perdre plusieurs bêtes qui mouraient à la suite de ces traitements. Lui, Odilon, avertissait ses hommes qu'il ne tolérerait pas semblable cruauté, sinon ils perdraient leur emploi. Il pansait lui-même certaines déchirures, caressait les chevaux qu'il considérait plus comme des amis que des serviteurs.

Chaque dimanche, un jeune prêtre parcourait une longue distance pour venir célébrer la messe. Avant le saint sacrifice, il se réservait le temps d'administrer le sacrement de pénitence à ceux qui consentaient à le recevoir. Il venait d'arriver dans le gang un dur à cuire. Pour se donner de la supériorité, ce dernier se mit à insulter le ministre du Seigneur, le traitant de petit sorcier hypocrite. Odilon Garneau va s'asseoir à côté de ce dur à cuire et l'apostrophe d'un ton ferme, mais calme: «Toé, si tu ne veux pas profiter de la grâce qui passe, c'est tes affaires, mais ce représentant du bon Dieu est venu jusqu'à nous de peine et de misère, tu ne le traiteras pas ainsi. Un mot de plus, et je vais te sortir d'une façon que tes pieds ne toucheront même pas terre.» Au fond de lui, il avait une peur bleue de ce colosse, mais il savait que la plupart de ceux pour qui il se montrait un père, allaient l'appuyer. «Pour réparer ton abomination, tu vas entrer dans «la p'tite boîte» comme tu dis, et tu vas demander pardon.» Ce fier-à-bras fut le premier pénitent et vint le remercier en pleurant. Odilon Garneau en conclut qu'il ne faut pas se fier à l'écorce; qu'au fond de chacun, il existe un petit morceau d'amande.

Ceux qui arrivaient pour la première année, en plus de l'ennui normal qu'ils éprouvaient tout particulièrement, devenaient vite la cible des moqueries et des pièges ou tours des habitués. Odilon Garneau prenait leur défense et semonçait les fendants, comme on les appelait. Certains de ceux-ci n'auraient pu faire qu'une bouchée de lui. Son ascendant lui venait de sa bonté, de sa compréhension, de sa fermeté, mais surtout de sa confiance en sa personne et en saint Christophe. Une image, qu'il garde toujours sur lui, le représente tel un géant qui passait les pèlerins et les voyageurs sur ses épaules lorsqu'ils voulaient traverser une rivière profonde.

Un jour, il porte un enfant qui soudain pèse un poids énorme: c'est Jésus. Saint Christophe est devenu le patron des automobilistes. Pourquoi pas aussi celui des gars de chantier qui conduisent des charges très lourdes, pendant les pires tempêtes, conclut Odilon Garneau? Il a vu ces hommes frustres pleurer comme des enfants lorsqu'ils s'ennuyaient trop de leur famille. «La tendresse, monsieur, me dit-il, ça existe au fond de chaque coeur; un rien suffit à la remuer.»

Il faut dire que ces manoeuvres ne gagnaient pas cher, mais à la fin de l'hiver, ça faisait un bon magot. Dans le train, en revenant à la fin de saison, l'un d'eux, épuisé, sommeillait. Toute sa paye, enroulée dépassait un peu de la poche du pantalon. Son voisin essayait depuis quelque temps de s'emparer de l'argent. Le patron l'aperçoit. Il fait semblant de roupiller, lui aussi, et au moment où l'escroc vient pour s'emparer de la somme, il empoigne celui-ci au poignet. Le type se réveille et lui décoche un coup de poing sur un oeil à le lui crever. Ça, le filou ne l'avait pas prévu. À vrai dire, l'ouvrier avait passé toute une saison d'enfer pour gagner le pain des siens D'autres, hélas! boivent leur paye ou une bonne partie du moins, à la taverne, en arrivant. C'est la façon pour ces gens sans volonté de se récompenser, privant les leurs du nécessaire. La femme en frotte un coup dans le bain rempli de parfum, pour enlever sur le corps de son homme une crasse de plusieurs mois! Ça n'a pas l'air de lui déplaire, il a été privé si longtemps des délices de l'amour. Il aurait tant de choses à ajouter, mais ce sera pour une autre fois. Il recommande à saint Christophe tous ces copains devenus ses amis.

Gilles passe de longues heures avec les arbres. Ils sont devenus ses confidents. Il se croit dans une forêt enchantée. L'image de Fleur de beauté hante ces bois. Il la voit flotter dans les airs. Elle vient à lui, s'assoit à ses côtés. Il l'enlace. Ils se regardent longtemps au plus profond des yeux. Leur bonheur devient tangible.

Il oublie, durant ces instants-là, qu'elle est la femme d'un autre. L'image de l'ange gardien qu'il s'est faite d'elle l'aide à combler sa solitude. Il ressent sa présence. Il ne se lasse pas de contempler sa beauté qui lui paraît éthérée. Dans sa solitude et son malheur, le ciel lui envoie cette messagère avec laquelle il dialogue. Il lui confie son chagrin. Lorsqu'elle se trouve là, toute l'amertume de sa peine s'évanouit.

À l'orée du bois, par les soirs où la lune épand sa molle clarté, Gilles appelle Fleur de beauté. Avec la vitesse de la pensée, elle se présente. Il s'aventure entre les arbres comme dans son royaume. Les moments les plus doux, il les vit dans le silence. Sa compagnie l'amène à l'extase. À cause de cette félicité, il bénit le sort d'avoir fait en sorte qu'il se trouve en cet endroit. Il absorbe par tous ses pores la présence invisible de son amante rêvée. Elle répond à son épanchement. Sa figure le suit partout. Son charme enchante chaque fleur, chaque feuille, chaque arbre. Il lui adresse des aveux enflammés. L'amour vécu à distance lui procure plus de satisfaction qu'il n'en a éprouvée avec sa fiancée. Cet attachement lui fait revivre la tendresse, la bonté, le désintéressement de la part de Fleur de beauté. Dans la quiétude de la forêt, il entend la voix de celle qui lui adresse des paroles d'encouragement, de confiance, de foi en l'avenir. Elle lui donne l'espoir qu'ils se reverront.

L'hiver arrive. Moins actif, Gilles sent peser davantage le poids du dépaysement. Son enthousiasme baisse. Il est attiré ailleurs. Il lui coûte d'en avertir son employeur qui l'a traité en fils. Une circonstance se présente lui donnant un signe évident qu'il doit quitter.

Notre rêveur, s'étant aventuré jusqu'aux limites de la propriété, entend aboyer. Un chien s'avance vers lui à grande vitesse. Arrivé tout près, il montre les crocs, prêt à le mordre. Gilles croise les bras, fixe l'animal dans les yeux. Celui-ci, magnétisé, se tait et se couche. La propriétaire de la bête arrive. elle décline son nom, son âge, trente-neuf ans, et indique sa demeure.

- Je vous vois pour la première fois, habitez-vous loin d'ici?
- Je ne suis que de passage.
- Chez qui logez vous, présentement?
- Je suis arrivé ce matin, je m'en retourne ce soir. J'adore errer dans la forêt. Ne connaissant pas l'endroit, j'ai abouti jusqu'ici.
- Votre nom?
- Rodrigue Cloutier.
- Le vôtre?
- Fernande Émond.
- Nous ne nous sommes pas rencontrés sans raison.
- Qu'entendez-vous par là?
- Croyez-vous en la fatalité?
- Évidemment!
- Un pressentiment me dit que nous nous retrouverons.
- Cela me plairait beaucoup, mais comme je vous l'ai dit, je quitte dans quelques heures.
- Quel dommage!
- Croyez que je suis désolé autant que vous.
- Alors, pourquoi ne pas vous louer une chambre dans un motel tout près. La question serait résolue.
- Impossible, adieu.
Ses grands yeux d'un vert romantique s'embuent de déception.
- Ne pourrions-nous pas causer un peu?
- Comme je vous l'ai dit, je regrette, je suis pressé.
- Je n'ai aucun ami, aucune amie dans ce coin perdu. J'aurais tant besoin de compagnie!
- Vous avez des frères, des soeurs?
- Je suis fille unique.
- Que diront vos parents s'ils vous trouvent avec moi?
- Ils sont partis à Montréal.
- Vous me paraissez sympathique, je n'aurais pas fait cette demande, autrement.
- Vous habitez ici depuis longtemps?
- J'y suis née.
- Votre profession?
- Secrétaire.
- Vous avez congé cet après-midi?
- Justement. Quel bonheur de vous rencontrer!
Son regard devient suppliant.
- Marchons un peu.
Leurs lèvres se soudent dans un baiser chaste autant qu'avide d'amour.
Gilles se détache d'elle et file à grandes enjambées. Il n'a jamais connu un tel besoin d'affection. Comme il aurait voulu s'établir pour de bon! Mais sa vie

138

dépend de son départ immédiat.

Il donne comme prétexte à celui qui l'a embauché qu'il éprouve un besoin pressant de retrouver les siens et s'éloigne le soir même de ce paradis dans lequel il venait de plonger pendant quelques instants.

Notre fugitif pratique l'auto-stop. À une intersection, un camionneur consent à le monter.

- Merci beaucoup. Où vas-tu?
- À Vancouver.
- Je suis libre comme l'air. Je n'ai jamais visité les provinces de l'Ouest. Leur site passe pour être le plus beau du pays.
- À qui le dis-tu? Comme ça, tu m'accompagnes jusque-là.
- Si tu consens.
- J'aime la compagnie.
- À la bonne heure!
- Ça prend cinq jours.
- Le temps ne compte pas pour moi.
- Au cas où tu serais chômeur, il te faut tout de même assez de fric pour payer tes repas et la couchette.
- Ça ira.
- Henry Jackson, pour te servir.
- Maurice Dubois.
- Célibataire?
- Endurci.
- Toi?
- Père de trois enfants aussi adorables que leur mère.
- Quelle chance!
- Je n'appartiens pas à la catégorie des gens instruits, mais je gagne ma vie honorablement.
- Voilà ce qui compte, surtout quand le bonheur constitue la principale fortune.
- Hé! donc, l'ami, serais-tu philosophe par hasard?
- Ne pousse pas trop. Je possède un bon fond d'instruction.
- Professeur?
- Correcteur d'épreuves d'imprimerie.
- Qu'est-ce que tu fais à flâner?
- Nous sommes en grève et j'en profite pour me balader.
- Oh! Le maudit système de suspendre le travail. Ça m'a enlevé des clients. Qu'en penses-tu?
- Je trouve qu'il y a du pour et du contre.
- Rien que du contre quant à moé. Des milliers d'ouvriers dans les différentes entreprises ont été obligés de vendre leur auto, leur maison et de vivre aux frais de la sécurité sur le revenu, alors qu'on leur promettait une augmentation de salaire.
- À ce point de vue, je te donne raison. On compte trop d'abus qui amènent à de très nombreuses mises à pied. Mais bien compris, le système a

du bon. Si les patrons n'avaient pas tant exploité les employés, qui ne recevaient qu'un salaire de crève-faim, on n'en serait pas arrivé là. En définitive, c'est un bien pour un mal.

- J'dis que ça égorge le pauvre monde. Les directeurs des compagnies sont loin d'être des fous. Que veux-tu qu'ils fassent quant ils ne peuvent plus encaisser? Ils ferment boutique et les chômeurs augmentent d'une façon effrayante.

- J'admets qu'on ne peut plus concurrencer les autres provinces et pays, la main-d'oeuvre devenant trop coûteuse. Il en résulte qu'on importe plus qu'on exporte, d'où les conséquences désastreuses de notre économie.

- Moé, j'aimerais que les chefs syndicaux mettent dans les journaux les argents qu'ils gagnent par année. Ça se monte à 150 000$ en moyenne, que j'ai entendu dire. Où vont-ils chercher ce magot? Dans la poche des salariés. Pour eux, plus il y a de grèves, plus leurs portefeuilles se gonflent. Pis, je ne parle pas du vandalisme. Certains d'entre eux conseillent même aux ouvriers d'employer des moyens de pressions scandaleux, écoeurants, ruineux. Qui paye la note? Ceux qui vont finir un jour ou l'autre par ne plus avoir de salaire.

- Je reconnais qu'il se trouve une grande part de vérité dans ce que tu affirmes. Par contre, on ne peut y trouver que du négatif. Ainsi dans le domaine de la santé, les syndicats ont obligé les patrons à prendre les moyens efficaces de protéger l'hygiène et la vie. De plus, ils ont réclamé des salaires au-dessus du seuil de la pauvreté dans les cas critiques. Ils ont exigé un nombre d'heures de travail raisonnables. Enfin, ils ont forcé les patrons à moderniser les machines et les outils.

- Sans doute, il y a du bon, toutefois, surtout au Québec, les abus l'emportent sur les avantages. Notre province est la plus taxée et celle où les entreprises ferment en plus grand nombre que partout ailleurs. Peux-tu nier ces vérités?

- Malheureusement, les statistiques confirment ces constatations.

- Maudits syndicats, il faut qu'ils s'opposent toujours au gouvernement et le blâment dans des termes juteux. J'aimerais bien voir ses chefs à la place de nos ministres et de nos députés, on deviendrait un Québec fantôme.

- Qui sait?

Le long du parcours, Gilles admire les océans de blé que les provinces offrent à sa vue. Leur ondulation s'étale en vagues de soleil. Les sommets des montagnes se nimbent de neiges éternelles. Juste avant d'arriver à Vancouver, le camionneur dépose son passager à un motel. Avec la rémunération pour son travail sur la ferme, le touriste paye ses dépenses courantes. Il n'ose pas trop se montrer en public, même dans ces contrées lointaines où il compte d'ailleurs ne séjourner que quelques jours.

La propriétaire, le voyant désoeuvré, lui propose de laver la vaisselle. Il accepte, comptant sur ce maigre revenu, d'abord, pour trouver le gîte et le couvert, ensuite, pour garder l'incognito. Après un certain temps, il emploie les transports en commun pour visiter les environs, ayant soin de se déguiser le plus possible.

Banff surtout l'impressionne. La ville ressemble à un entonnoir. Au bas, elle est couronnée de verdure, allant en s'évasant; plus haut, se dressent les rochers. À leur faîte, scintille la neige qui ne fond jamais.

Le lac Louise offre un paysage unique au pays. La base liquide, d'un bleu foncé, contraste avec la blancheur ensoleillée, posée sur le sommet des rocs situés à des hauteurs vertigineuses. On se baigne dans son onde fraîche, alors qu'on peut skier le long des pentes plus douces.

Un soir, Gilles a pris le téléphérique qui conduit à l'un des sommets. Le soleil se couchait. Ils lui firent l'effet de cierges après la messe de la journée, à l'autel des Rocheuses.

Il faut penser au retour définitif à Montréal car Gilles n'a pas l'intention de s'exiler d'un endroit à l'autre jusqu'à la fin de ses jours.

Chère Fleur de beauté,
Je t'expliquais dans ma dernière lettre comment j'avais réussi à remettre Luc à ses parents. Il s'agit maintenant de risquer le tout pour le tout. Je te donne mon adresse afin que tu puisses me communiquer les résultats de ton enquête personnelle. Je te demande de sonder les dispositions des Dumouchel à mon endroit. Je sais que ta version donnera beaucoup de poids aux raisons évoquées dans ce sens.
Te retrouver allège d'autant le traumatisme lancinant que j'endure d'être toujours sur le qui-vive, de ne pouvoir me fixer nulle part, loin de ceux que j'aime et de ma place natale.
À bientôt, ma meilleure amie,
Cordialement, Gilles

Plutôt qu'il ne l'aurait prévu, Fleur de beauté communique avec lui.

Gilles,
Les Dumouchel n'ont pas tardé à me mettre au courant du bonheur impensable d'avoir retrouvé leur fils. Ils passent l'éponge et retirent leur plainte contre toi, devant les tribunaux. Tu as commis une faute, tu l'as réparée plus qu'il ne fallait. Reviens-nous!
Voici mon plan, Arthur et moi allons te chercher à Vancouver. Nous continuerons tous trois à Montréal. Nous désirons avec ardeur te revoir. En attendant, nous te félicitons chaleureusement.
Ton amie de toujours qui t'embrasse bien fort,
Fleur de beauté

Quelques jours après, ils sont réunis. Ils avaient mis leur auto à bord. Ils ont tant de nouvelles à se raconter! Gilles apprend que son ex-fiancée est mariée. Elle vit à Québec. La famille Dumouchel lui témoigne une gratitude qui le touche profondément. Quant à Luc, il ne le quitte pas. Il aime raconter les différentes péripéties de son enlèvement lorsque Gilles réussit à le délivrer des méchants géôliers.

S'étant établi, Gilles n'a qu'un désir, témoigner sa gratitude aux Leblanc et retourner à Saint-Michel-des-Saints remercier le policier, puis surtout revoir Fernande Émond. Il doute moins que jamais de la voyance des femmes: Elle lui avait dit qu'ils se reverraient.

Ils se fréquentèrent un mois et leur mariage fut célébré en grande pompe. Depuis, il remercie le ciel de lui avoir donné une épouse dont le charme et la tendresse font de sa vie une histoire d'amour vrai. Ils ont une fille âgée de cinq ans, Sophie, une adoration. Ils veulent lui donner bientôt un frère ou une soeur.

13

Chrysanthème

Chrysanthème, la fille de Fleur de beauté et David, le fils d'Arthur annoncent à leurs parents la date de leur mariage. Leur voyage de noces aura lieu à Montréal afin d'aller leur rendre visite. Ils sont retenus par leur travail et ne peuvent assister au mariage.

Quelle joie de se revoir surtout en pareilles circonstances! Que de souvenirs ressentent Arthur et Fleur de beauté en retrouvant leurs enfants alors qu'ils leur rappellent leur jour nuptial! Ils se revoient en eux. Ce bonheur parfait, ils l'ont éprouvé! Ces rêves d'avenir, ils en ont poursuivi de semblables!

Les Dumouchel avaient pardonné, mais François, le frère de Stella, l'ex-fiancée de Gilles, savourait sa vengeance. Il mijota un plan des plus astucieux: s'éprendre de Chrysanthème. L'enlever à David. Il fallait procéder par étapes afin de ne pas se trahir.

François organise un bal masqué. Il envoie des cartes d'invitation à de nombreux amis, amies. Fleur de beauté, Arthur, Gilles, Chrysanthème, David, Fernande sa femme comptent parmi eux. Le frère de Stella se déguise en léopard, Chrysanthème revêt un costume de lapine. L'étoffe, d'un rose luisant, colle à son corps, comme une seconde peau, épousant à merveille ses formes. Les yeux pétillent tels des saphirs phosphorescents. Lorsqu'il danse avec elle, François les magnétise de sa flamme passionnée. Au temps d'arrêt où l'on sert le vin, il jette une poudre enivrante dans le verre de Chrysanthème. Il s'empresse de lui offrir le bras pour un slow. Ainsi qu'une somnambule, elle le suit sans résistance.

David, qui ne prête pas attention à sa femme, au début de la fête, se met à examiner le comportement de Chrysanthème. Ignorant le nom du partenaire, il s'aperçoit qu'il lui fait prendre des poses lascives auxquelles elle s'abandonne, ce qui surprend David qui se retire un peu à l'écart pour mieux les observer. L'attitude qu'elle affecte étonne d'autant plus le mari, que son cavalier la presse contre elle d'une façon osée. Situation plus inexplicable, ils s'éloignent du groupe; elle titube et s'appuie sur lui. L'évidence saute aux yeux. Chrysanthème ne se conduit pas normalement. David se dispose à les suivre, mais dans la cohue, il les perd de vue.

François entraîne sa partenaire dans le jardin. L'air est éclairé par un soleil bleu dont les rayons projettent une clarté tamisée. L'atmosphère exhale l'encens capiteux des plates-bandes regorgeant de fleurs. François emmène Chrysanthème dans un bosquet.

David, ne les voyant pas, devine qu'ils sont dehors. Il marche précautionneusement. Entendant des voix, il s'approche. François baise sa femme avec fureur. Se dégageant un peu, elle gémit éprouvant une grande satisfaction. Il les voit en flagrant délit. Son premier mouvement, les séparer. Le violeur ne l'entend pas ainsi. Il le repousse rudement et le projette dans les broussailles. Le mari offensé soutenu par sa force, décuplée par l'indignation, fonce sur son adversaire et lui assène un coup de main sur la nuque selon la méthode enseignée dans ses cours de karaté. François s'écroule, David en profite pour saisir Chrysanthème dans ses bras et veut la ramener à l'intérieur. Elle résiste de toutes ses forces et se penche sur François, le plaignant, le croyant même sans vie. David abasourdi multiplie ses efforts pour qu'ils puissent s'enfuir.

- Vite, ma chérie, suis-moi.
- Va-t'en cruel, bourreau, rétorque-t-elle d'une voix avinée.

David veut attirer Chrysanthème à lui; elle se cramponne à François. Fou de désespoir, il les laisse à leur malheur.

Ne voyant pas François et Chrysanthème, les invités s'inquiètent. David met au courant Arthur et Fleur de beauté qui accourent sur les lieux. Les arrivants qui suivent s'enquièrent de la situation. Chrysanthème ne cesse de répéter que c'est David qui a frappé François. Celui-ci n'a pas repris connaissance. Pendant qu'on le transporte à l'hôpital, on s'acharne sur l'auteur du crime, ne lui donnant pas le temps de s'expliquer. Chrysanthème garde le lit, ne se remettant pas de ses émotions.

On fait venir le médecin au plus tôt afin d'expliquer son comportement. Les plus zélés téléphonent à la police afin que David soit incarcéré; ce qui fut fait. On apprend que François meurt dans l'ambulance. La consternation est générale. Dans un sens, heureusement que David ne se trouve pas sur place; on l'aurait amoché de plus belle. Les parents de celui-ci et ses amis ne peuvent croire à sa culpabilité. Fleur de beauté est saisie d'une faiblesse. Arthur défend avec âpreté l'innocence de son fils.

L'expertise prouve que Chrysanthème a été dopée. On ne peut affirmer si elle-même a pris un excitant ou si on l'a droguée. Ce qui complique les recherches, elle ne se souvient plus comment le fait s'est produit. Les résultats s'avèrent clairs: elle avait agi contre nature. Seul un détective peut élucider l'énigme ou du moins essayer.

Pendant que David purge sa peine à la prison de Bordeaux, sur l'île de Montréal, Chrysanthème, la mort dans l'âme, ne se pardonne pas sa conduite.

Durant les funérailles, fait assez significatif, le décès ne cause pas une grande douleur, excepté aux parents et aux membres de la famille, François ne comptait pas d'amis.

Stella vient assister au service. Elle s'empresse de fouiller la chambre de François: elle découvre quelques fioles qui contiennent des stupéfiants; elle les soustrait aux recherches, vidant le contenu dans les toilettes, enfouissant les flacons dans le jardin.

Le détective Jean-Paul Houle commence son enquête. Il va questionner

144

chacune des personnes présentes à la soirée. Toutes nient avoir eu connaissance de quoi que ce soit. David maintient intégralement la version qu'il a donnée. Stella, qui n'était pas présente, se croit hors de tout soupçon. Chrysanthème soutient ne pas se rappeler avoir été victime d'une telle machination. Jean-Paul Houle insiste.

- D'après le comportement de François, ce soir-là, vous ne soupçonniez pas qu'il ait manigancé toute cette scène grotesque? Il danse avec vous d'une façon pratiquement scandaleuse. Pourquoi n'avez-vous pas refusé ses avances?

- Je n'avais pas conscience alors de ses intentions.

- Et maintenant?

- Je m'en veux de l'avoir laisser faire.

- Vous étiez donc en état d'ivresse.

- À présent, je le reconnais. Comment le savoir au moment où j'ai bu le verre qu'il m'offrait. Je vois clairement que je n'étais pas moi-même. Je vivais en pleine euphorie. Ce que je me reproche, c'est d'avoir repoussé mon mari venu à ma défense. Comme je me blâme, même s'il m'a pardonné!

- François a bu son verre.

- Oui. Après, nous avons dansé. Vous savez le reste. Pourquoi m'a-t-il traitée si odieusement? Je ne lui ai rien fait.

- Pour lui, les raisons ne manquaient pas. La première, le refus probable de danser avec lui.

- Pourquoi? Il était notre hôte. Nous sommes assez larges d'esprit David et moi, pour ne pas entretenir de jalousie.

- Vous savez que vous êtes très jolie.

- Vous n'êtes pas la première personne à le remarquer, au point que je souffre chaque fois qu'on me fait ce compliment.

- Raison de plus pour François de ne pas être frustré.

- J'ai accepté tout de suite.

- À moins qu'un autre motif n'entre en ligne de compte.

- Lequel?

- Je ne suis rendu qu'à la phase des hypothèses.

- Dites quand même.

- Vous connaissez votre mère, comme elle est compatissante! Elle a dû vous raconter comment elle est venue en aide à Gilles, moralement. Il se pourrait que François ait décidé de la punir. Gilles a mis le feu à leur maison. François s'en est pris à ce que Fleur de beauté a de plus cher, vous. Voilà pourquoi, il vous a droguée.

- Par quel moyen pourrait-on prouver que François ait commis cette infamie, d'autant plus qu'il est décédé?

- Sans doute, sa mort complique la chose au possible, mais un détective ne désespère jamais. Voilà la clef de son succès.

- Je vous trouve très courageux.

- Ça fait partie du métier.

- Je vous en supplie, sortez mon mari de prison. Dire qu'il s'y trouve en quelque sorte par ma faute, me démoralise au plus haut point.

- Voulez-vous me faire plaisir?

- Je ne désire rien de plus.

- Ne vous blâmez pas. Vous l'avez dit vous-même, ce n'était pas Chrysanthème qui agissait, mais une autre, celle qui avait été enivrée.

- Bonne chance! Je vais prier pour que vos recherches aboutissent.

- Je compte beaucoup sur l'aide du Tout-Puissant. On a beau se croire un expert dans sa profession le secours du Très-Haut demeure indispensable. Jean-Paul Houle inscrit les noms de toutes les personnes présentes au bal ainsi qu'au service funèbre de François Dumouchel. On lui indique entre autre celui de Stella, sa soeur. Il va la trouver à Québec.

- Madame Stella Demers.

- Oui, que voulez-vous?

- Détective Jean-Paul Houle.

- En quoi puis-je vous être utile?

- Au sujet de votre frère François.

- Vous savez que David Bédard l'a tué. Il purge sa peine en taule. Que voulez-vous de plus?

- Chrysanthème a été droguée lors du bal masqué que votre frère avait organisé. L'examen a confirmé le fait.

- Vous êtes détective et vous ignorez que j'étais absente lors de la réception?

- Je le sais.

- Alors, vous vous êtes dérangé pour rien.

- J'aimerais toutefois vous poser quelques questions.

- Je n'en vois pas l'utilité.

- Moi, si.

- Vous perdez votre temps et le mien, ce qui est plus dommageable.

- Êtes-vous allée dans la chambre de votre frère durant votre séjour à la maison, lors du service funèbre?

- Qu'aurais-je fait là?

- Répondez à ce que je vous demande.

- Non. Alors, nous n'avons plus rien à nous dire.

- Vous en êtes certaine.

- Catégorique. Vous ai-je averti que j'ai un travail pressé qui m'attend.

- Je m'en souviens.

- Vous n'êtes pas encore parti?

- Je suis habitué d'être reçu de la sorte.

- Et vous continuez à embêter les gens. Ça me dépasse.

- Sans vous offenser, je reviendrai.

- Si vous m'importunez encore, j'en parlerai à mon avocat.

- Vous êtes dans votre droit.

- Allez-vous ficher le camp, oui ou non?

- À bientôt.

- Vous ne serez pas plus le bienvenu que maintenant.

- Merci quand même.

Cette entrevue réjouit au fond de lui, Jean-Paul Houle. Deux catégories de personnes donnent la preuve qu'elles sont plus ou moins mêlées dans une affaire judiciaire: Celles qui se montrent trop obséquieuses, voulant à tout prix renseigner le détective, lui répondant avec une aisance singulière. Elles ne font que camoufler leur culpabilité. Les autres, à l'opposé, accusent une réticence exagérée, presque révoltante. Stella vient de le prouver.

La soeur de feu François Dumouchel était certaine de ne pas avoir laissé d'empreintes, s'étant servie de gants en caoutchouc apportés de chez elle. Au retour, elle les brûla. Elle croyait avoir la conscience en paix car il semblait impossible qu'on découvre son stratagème. Cependant, elle se reprochait sa brusquerie au cours de l'entrevue avec le détective.

La famille Dumouchel use de l'influence de sa fortune pour contrer les efforts de Jean-Paul Houle. Celui-ci, loin de se laisser intimider enquête de plus belle. Gilles, de son côté, d'après le rapport que le détective lui a fait au sujet des réponses de son ex-fiancée, la soupçonne d'avoir participé d'une façon ou d'une autre à cette aventure. Il ne peut se fier à son intuition, il lui faut des preuves tangibles. Elle ne lui a pas adressé la parole ni au salon ni après l'enterrement. Il a essayé de communiquer avec Stella, il s'est montré avenant, mais sans succès. Au contraire, elle donnait l'impression de jeter sur lui son dévolu. Cette attitude le confirme beaucoup dans sa supposition qu'elle n'a pas les mains blanches.

Le jardin était entretenu d'une façon impeccable. Par un après-midi d'une chaleur accablante, Gilles veut se reposer à l'ombre des grands arbres. Un détail, insignifiant en apparence, attire son attention. Le sol est méticuleusement ratissé partout, sauf à un endroit où il a été remué. Il n'y attache pas plus d'importance qu'il ne faut. D'ailleurs, un chien aurait pu gratter l'endroit. Comment expliquer qu'il pense à plusieurs reprises à l'incident? De plus, son intuition, le porte à croire que ce pourrait être un indice. Pour chasser toute indécision, il y retourne et se met à creuser. Surprise. Trois fioles apparaissent. Ne serait-ce pas celles qui contenaient les drogues? Il se garde bien d'y toucher au cas où il y aurait des traces laissées par des doigts. Gilles appelle d'urgence le détective Jean-Paul Houle.

Le laboratoire ne découvre pas d'empreintes, mais sur une d'elles, une trace d'arsenic qu'on s'est ingénié à effacer. Les bouteilles en question ont été manipulées au moyen de gants caoutchoutés.

Tous les gens de la maison affirment ne pas avoir eu en leur possession de tels gants. Une personne demeurant à l'extérieur et ayant accès à la chambre de François a pu recourir à cette ruse.

Le détective n'hésite pas un instant et se rend à Québec au domicile de Stella Demers. Par chance, elle est sortie. Elle n'avait soufflé mot à son mari de sa complicité dans le drame en question, ainsi que le constate bientôt Jean-Paul Houle.

- Monsieur, avez-vous déjà vu votre femme porter des gants de caoutchouc?

- Oui, pourquoi cette question insignifiante?
- Détective Jean-Paul Houle.
- Que vient faire ma femme dans votre enquête?
Tous les détails lui sont relatés.
- Où sont-ils?
- Je ne le sais pas, mais vous ne poserez aucune question avant qu'elle n'arrive; c'est elle que cela concerne, pas moi.
- Je vous donne parfaitement raison.
- Asseyez-vous.
- Merci.
- Un café?
- Volontiers.
- Chose curieuse, jamais elle n'aborda ce sujet avec moi.
- Avouez qu'il n'y a pas de quoi s'en vanter.
- La voilà.
- Vous, sortez, dit Stella.
- Comment, vous vous connaissez?
- Il est déjà venu ici.
- Tu m'en caches des choses.
- Tu n'étais pas là, j'ai oublié tout bêtement de t'en parler.
- Lorsque je vous ai demandé si vous possédiez des gants de caoutchouc, intervient le détective, vous m'avez menti. Je sais maintenant que vous en avez ou que vous en aviez car ils sont probablement disparus.
- Je ne me dédie pas.
- Alors, votre mari me trompe.
- De quoi te mêles-tu?
- Il m'a posé la question. Ignorant tout de cette histoire, je lui ai avoué la vérité.
- Depuis quand n'a-t-on pas le droit de se préserver les mains lorsqu'on se livre à certains travaux?
- La question reste à savoir si c'est vous qui avez pris les trois fioles contenant de la drogue dans la chambre de votre frère.
- Non.
- Madame, dans votre intérêt, rétractez-vous car vous pourriez vous attirer des ennuis plus graves que vous ne l'imaginez.
- Mon frère n'a pas soûlé cette Japonaise de Chrysanthème.
- Qu'en savez-vous, n'étant pas là?
- Il se servait de cette drogue pour lui-même, voilà pourquoi on le trouvait si bizarre, parfois.
- Pourquoi avoir attendu si longtemps avant de jeter ces produits toxiques?
- Maintenant qu'il est mort ne trouvez-vous pas que ça fait toute la différence? Pourquoi venir me torturer? Sa disparition ne vous paraît-elle pas assez cruelle en ce qui me concerne?
- Je sympathise avec vous, mais je ne partirai pas d'ici avant d'avoir entendu un oui ou un non de votre part.

148

- Oui, j'ai enfoui ces fioles.

Le détective Jean-Paul Houle va trouver les autorités judiciaires et essaie, se basant sur l'aveu de Stella Demers, d'obtenir la rémission de la peine que purge David Bédard. Il prétexte, vu le procédé qu'avait employé le défunt, que le supposé meurtrier non seulement n'a pas voulu la mort de François Dumouchel, mais ne faisait que soustraire sa femme aux mains d'un violeur qui avait employé des moyens peu orthodoxes pour faire en sorte qu'elle se conduise d'une façon ignoble avec lui.

La cause est reportée. Le verdict prend en considération les circonstances atténuantes; reconnaissant toutefois le cas de mort, même involontaire, il réduit la sentence à deux ans de prison. Chrysanthème, sous le coup des émotions très fortes qu'elle vient de vivre, apprenant que son mari passera tout ce temps sous les verrous, ne se remet pas et tombe dans un état de langueur, s'aggravant de jour en jour. Elle ne retournera pas au Japon tant que son mari sera en prison. Le fait de ne pouvoir lui rendre visite n'aide pas à son rétablissement.

De nouveaux malaises, plus sérieux ceux-là, se font sentir. Les examens révèlent que François, ce don Juan allant d'une femme à l'autre, lui a transmis le sida. Elle souffre le martyre. Elle aurait tant voulu être mère de plusieurs enfants. L'impossibilité où elle est réduite de ne pas réaliser ce besoin de la nature la démoralise au point qu'elle se laisse aller, n'accomplissant aucun effort pour améliorer son état physique.

Arthur et Fleur de beauté décident de mettre David au courant le plus tard possible. À la seule idée de lui annoncer cette épreuve, ils se sentent démunis; lui aussi envisage de fonder un foyer. À l'instar de sa femme, il adore les enfants. À la moindre fête, ils en invitent plusieurs. Quel plaisir de s'amuser avec eux, essayant de se mettre à leur portée! Ils ne résistent pas toujours au plaisir de les gâter. Enfanter, pour eux, cela revient à incarner leur amour dans ce qu'il y a de plus divin. Ils font leur cette réflexion de Montherlant: «... je crois que la plupart des enfants sont des inspirés, des moyens pris par Dieu pour s'exprimer.»

Sa détention terminée, David voit Chrysanthème dépérir à vue d'oeil. À l'hôpital, en dépit des soins dont elle est entourée, le mal fait ses ravages. David la visite le plus souvent possible. Il garde dans les siennes ses mains amaigries, presque transparentes, voulant lui communiquer sa vitalité pour la revigorer.

La mort vient couper la tige de cette fleur que tous admiraient non seulement à cause de sa beauté magique, mais aussi grâce au parfum de sérénité qu'elle exhalait. Vivre en sa compagnie était un paradis réel.

Le plus souvent possible, David se rendait au cimetière de la Côte-des-Neiges rejoindre celle qui était toujours présente dans son coeur. Chaque fois, il passait des heures à prier sur le tertre devant la pierre tombale représentant un ange tenant par le doigt une jeune femme pour la conduire à sa véritable patrie. L'épitaphe porte ces mots:

«La terre n'était pas digne de toi.
Ton ciel, tu ne peux y vivre sans moi.»

David rejoignait tellement Chrysanthème par la pensée, qu'elle lui devenait vivante. Il dialoguait avec elle. Il sentait qu'il ne devait pas se laisser miner l'âme par la douleur de sa disparition. Elle jouissait d'un bonheur parfait. Le meilleur moyen de lui continuer la confiance qu'il avait toujours placée en elle, n'était-ce pas de s'abandonner à sa protection? La voix de celle qui vivait de Dieu était devenue sa conscience à lui.

Malgré sa libération, certains parmi les Dumouchel n'ont pas accepté que David ait supprimé François. Ils l'apostrophent en le croisant sur le trottoir: «Assassin.» «Traître qui tue un des nôtres pour une Jap.» Des colibets de tous genres l'assaillent. Il lui faut tenir le coup. Chrysanthème l'assiste et le réconforte. Il se retire dans le cimetière. La quiétude amène son coeur à la résignation. Seul avec sa douleur, il se promène dans les allées bordées de stèles et de mausolées. Sa contemplation se faisait plus profonde en la compagnie de ceux dont les restes mortels reposent dans la poussière des tombaux, mais dont l'âme vit une béatitude infinie en rapport avec la sainteté de leur vie. David considère le cimetière comme le vestibule du paradis.

François faisait partie d'une pègre livrée à la drogue. Les membres décident de ne pas s'en tenir là. David leur a fait perdre un client d'autant plus précieux qu'il jouissait de la réputation d'une famille honorable, possédant une fortune considérable. Qui se serait douté des agissements de Dumouchel? Ils décident de faire payer à celui qu'ils considèrent comme un tueur, la perte d'un «pusher» aussi efficace. Ils apprennent que David cherche un emploi. Ils lui en procurent un. L'incognito est ce qui contribue au succès de cette organisation. Des suppôts se chargent de surveiller ses allées et venues.

Un individu vient s'asseoir sur le même banc que David qui utilise les transports en commun. Après un long silence, l'inconnu engage la conversation.

- L'hiver traîne en longueur.
- En effet, il empiète sur le printemps.
- Beau temps quand même pour voyager.
- À la condition d'avoir un emploi.
- C'est votre cas.
- Oui, j'entreprends des démarches pour en trouver un.
- Dans quel domaine?
- Concessionnaire, section automobiles.
- Vous vivez dans les parages?
- Je suis né au Japon. J'ai vingt-trois ans. Mon père est Montréalais, ma mère, aussi.
-J'imagine que les autos de votre pays d'origine vous intéressent énormément.
- Sans nul doute.
- Pure coïncidence, mon frère travaille dans ce domaine. Voici sa carte.
- Gilbert Guilbault. Ventes d'autos japonaises neuves et usagées, de toutes les marques. 11 235, rue Hochelaga, Pointe-aux-Trembles.»

- Ce n'est pas tellement loin de mon domicile.

- Venez nous voir. Je vous promets que vous serez embauché. Les bons vendeurs, consciencieux surtout, se font de plus en plus rares. David a hâte de renseigner Arthur et Fleur de beauté. D'autant plus que le désoeuvrement dans lequel il s'enlise depuis la mort de Chrysanthème, risque de le conduire à la dépression nerveuse. Le travail le distraira de cette pensée fixe. Sa fierté lui fait trouver de plus en plus pénible la situation de vivre aux crochets de ses parents.

On l'accueille avec affabilité. Le secteur qu'on lui confie couvre un vaste territoire dans l'Est de l'île. Après un certain temps, il réussit à vendre au-delà de ses espérances. Son employeur lui témoigne son contentement en l'invitant au restaurant une ou deux fois la semaine.

Alors qu'il revient à la maison un soir, un type en motocyclette lui barre le chemin. Celui-ci arrête. Il lui fait signe de sortir de l'auto. Sa première réaction est de foncer sur lui. Heureusement qu'il ne s'écoute pas. Le souvenir de ses deux ans de bagne lui revient à la mémoire. Il ne bouge pas, s'assurant que ses portes sont bien verrouillées. Deux autres motocyclistes se joignent à lui. David se livre, d'autant plus qu'ayant pris un raccourci, la route est déserte. Sa montre marque vingt-deux heures quarante-huit minutes.

Les trois portent des gants, sont vêtus d'une cagoule. On le fouille, s'emparant de son portefeuille. Par malheur, il vient de recevoir sa paye. Ils lui font signe de déguerpir le plus tôt possible. Il n'en parle point à Fleur de beauté, elle a eu plus que son lot d'émotions, ces derniers temps. Il met son père au courant.

Environ trois semaines après, David mange seul au restaurant. Deux types viennent se placer à la table voisine. Ils se font des signes de tête, en le montrant. Non intimidé, il les dévisage; ils baissent les yeux. Au moment où il se lève pour aller payer l'addition, ils imitent son geste. Il saute dans son auto et démarre brusquement. Dans son rétroviseur, il s'aperçoit qu'ils le suivent. Vu qu'il est en ville, David réussit à les semer. La situation commence à l'inquiéter; il pressent quelque chose de louche.

Il se peut que ces événements aient quelque rapport avec son travail; d'ailleurs, les marques de bienveillance reçues depuis n'ont pas été sans lui causer quelques soupçons. Aurait-il pris la place d'un autre? David sent la soupe chaude, mais ne parvient point à trouver une raison valable qui justifierait la moindre tracasserie à son endroit.

Il voit un papier, retenu par l'essuie-glace, sur son pare-brise. Il croit d'abord à une contravention, pourtant il n'a pas dépassé le temps indiqué par le parcomètre. Il lit la menace suivante écrite au moyen d'un ordinateur: «À minuit pile demain, viens déposer la somme de 100$, en billets de 20$, sans aucune trace qui les fasse reconnaître, dans un hangar désaffecté derrière la maison qui vient de passer au feu, rue Moreau, au coin d'Azilda; place l'enveloppe en vue. Si tu ne te présentes pas ou qu'il te prenne l'idée d'être accompagné, surtout de prévenir la police, tu es un homme mort.»

Il conclut facilement que ce n'est que le début d'un chantage qui va prendre des proportions alarmantes. David pense tout de suite à recourir aux services du détective Jean-Paul Houle.

À l'heure convenue, il exécute les ordres reçus. Il ne voit personne et s'en retourne au plus tôt. Le détective ayant stationné sa voiture un peu plus loin, se cache de manière à surveiller les auteurs du méfait. Ils arrivent environ une demi-heure après le départ de David. Ils portent une cagoule et des gants. Ils balayent les alentours du hangar des reflets de leurs lumières de poche. N'apercevant personne, ils se retirent doucement afin que le moteur de l'auto fasse le moins de bruit possible. Il y a tout lieu de croire que ce sont les mêmes motocyclistes mentionnés par David. Le détective en conclut qu'il a affaire à des membres de la pègre. Il faut découvrir le motif qui les porte à s'en prendre à David. Un lien s'établit-il entre le procédé pris par François et ces trois malfaiteurs?

Il est trop tôt pour sauter aux conclusions. Comme il fallait s'y attendre, la semaine suivante les mêmes avertissements sont donnés de remettre une somme équivalente. Cette fois-ci des policiers fantômes se joignent au détective et attendent les voleurs au coin de la rue. Ceux-ci sont coincés. On les menotte et les conduit en prison. Ils finissent par donner les noms des chefs de leur association d'escrocs. Fouillant dans leurs dossiers, on retrouve celui de François Dumouchel.

Les jours suivants, la demeure de David Bédard est protégée vingt-quatre heures sur vingt-quatre. On relâche peu à peu la surveillance et le calme se rétablit. Les policiers patrouillent le secteur de temps à autre.

Fleur de beauté retrouve petit à petit la santé qui avait été compromise jusqu'à prévoir une dépression fatale.

Lorsque les diagnostics prouvent qu'elle est assez bien pour retourner au Japon, elle s'envole en ma compagnie et celle de David. Nous apportons les cendres de Chrysanthème. Nous ne pouvions nous séparer de la morte, laissant en terre étrangère celle qui n'était plus.